ANDREAS GRYPHIUS

Cardenio und Celinde
Oder Unglücklich Verliebete

TRAUERSPIEL

HERAUSGEGEBEN VON
ROLF TAROT

PHILIPP RECLAM JUN. STUTTGART

Universal-Bibliothek Nr. 8532
Alle Rechte vorbehalten. © Philipp Reclam jun. Stuttgart 1968
Gesetzt in Petit Garamond-Antiqua. Printed in Germany 1979
Herstellung: Reclam Stuttgart
ISBN 3-15-008532-2

Andreæ Gryphii

Cardenio vnd Celinde,

Oder

Unglücklich Verliebete.

Trauer-Spiel.

[Aij^r] Großgünstiger vnd Hochgeehrter Leser.

ALs ich von Straßburg zurück in Niederland gelanget /
vnd zu Ambsterdam bequemer Winde nacher Deutschland erwartet / hat eine sehr werthe Gesellschafft etlicher
auch hohen Standes Freunde / mit welchen ich theils vor   5
wenig Jahren zu Leiden / theils auff vnterschiedenen
Reisen in Kundschafft gerathen / mich zu einem Panquet /
welches sie mir zu Ehren angestellet / gebeten. Als bey
selbtem nach allerhand zugelassener Kurtzweilen / man
endlich auff Erzehlung vnterschiedener Zufälle gerathen /   10
vnd damit einen zimlichen Theil der Nacht verzehret /
hab ich mich entschlossen Abschied zu nehmen / vnd in
mein damaliges Wirthshaus zu eilen. Wolgedachte meine
Liebesten wolten / was ich auch bitten oder einwenden
möchte nicht vnterlassen mich biß nach Hause / durch die   15
so weite Stadt zu begleiten / vnd geriethen so bald sie
auff die Gassen kommen wieder auff jhr voriges Ge-
schicht-Gespräch / dabey mir auff jhr anhalten [Aij^v] An-
laß gegeben / den Verlauff dieser zwey vnglücklich Verliebeten zu erzehlen. Die Einsamkeit der Nacht / die lan-   20
gen Wege / der Gang über den einen Kirch-Hof vnd
andere Umbstände machten sie so begierig auffzumer-
cken: Als frembde jhnen diese deß Cardenio Begebnüß /
welche mir in Italien vor eine wahrhaffte Geschicht
mitgetheilet / vorkommen / daß sie auch nach dem ich   25
mein Reden geendet / von mir begehren wollen jhnen
den gantzen Verlauff schrifftlich mitzutheilen. Ich der
nach vielem abschlagen / mich überreden lassen / Freunden zu gefallen eine Thorheit zu thun / hab endlich versprochen jhnen wie in andern Begnügungen also auch   30
mit dieser nicht zu entfallen / bin aber doch bald anderer
Meynung worden / vnd habe stat einer begehrten Ge-

schicht-Beschreibung gegenwärtiges Trauer-Spiel auffgesetzet / bey welchem ich weil es durch vieler Hände
gehen / vnd manch scharffes Urtheil außstehen wird /
eines vnd andere nothwendig erinnern muß. Zu förderst
aber wisse der Leser / daß es Freunden zu gefallen geschrieben / welche die Geschicht sonder Poetische Erfin-
dungen begehret. Die Personen so eingeführet sind fast
zu niedrig vor ein Traur-Spiel / doch hätte ich diesem
Mangel leicht abhelffen können / wenn ich der Historien
die ich sonderlich zu behalten gesonnen / etwas zu nahe
treten wollen / die Art zu reden ist gleichfalls nicht viel
über die gemeine / ohn daß hin vnd wieder etliche hitzige
vnd stechende Wort mit vnter lauffen / welche aber den
Personen / so hier entweder nicht klug / oder doch verliebet / zu gut zu hal-[Aiij^r]ten. Was nun in oberzehlten
Stücken abgehet / wird wie ich verhoffe der schreckliche
Traur-Spiegel welcher bey den Verliebeten vorgestellet /
wie auch deß Cardenio verwirretes Leben / genungsam
ersetzen. Mein Vorsatz ist zweyerley Liebe: Eine keusche /
sitsame vnd doch inbrünstige in Olympien: Eine rasende /
tolle vnd verzweifflende in Celinden, abzubilden. Wo
ich diesen Zweck erreichet / hab ich was ich begehret /
wo nicht / so wird doch der Vorsatz dem Leser zu dienen
Entschuldigung vnd Genade finden. Mit einem Wort /
man wird hierinnen als in einem kurtzen Begrieff / alle
diese Eitelkeiten in welche die verirrete Jugend gerathen
mag / erblicken. Cardenio suchet was er nicht finden kan
vnd nicht suchen solte. Lysander bauet seine Liebe auff
einen so vnredlichen als gefährlichen Grund / welches
gar übel außschlägt; biß seine Fehler von Vernunfft /
Tugend vnd Verstand ersetzet werden. Olympe schwebet
in steten Schmertzen; biß sie bloß nach der Ehre als dem
einigen Zweck zielet. Tyche gibet Anschläge zu einer verfluchten Zauberey / vnd wil Liebe erwecken durch den
Stiffter deß Hasses vnd Geist der Zweytracht. Ihr Mittel
das sie vorschlägt ist so abscheulich als boßhafft / gleich-

wol weiß ich daß eine Person hohen Standes in Italien
ein weit thörichter Werck versuchet. Und welches Land
ist von solchen Händeln reine? Leo Allatius hat nicht
sonder Verwunderung gelehrter Sinnen Opinationes
Graecanicas geschrieben. Wenn jemand die Zeit auff 5
solche Sachen wenden / vnd alle Künste verlorne Sachen
[Aiij^v] zu finden / Schätze zu graben / Liebe zu stifften /
Eheleute zu verknüpffen / Todte zu beschweren /
Kranckheiten zu vertreiben / auff welche viel in Deutschland halten / auffsetzen wolte / er würde ein vngeheures 10
Buch Opinationum Germanicarum zusammen bringen.
Auch diese welche mit höchsten Wissenschafften begabet /
sind zuweilen mit einem vnd anderm Geschwüre von
dieser Räudigkeit angestecket: Wo jemand zweiffelt /
der bedencke (daß ich vieler anderer nicht erwehne) was 15
Hieronymus Cardanus von sich selbst / vnd Petrus Gassendus von Tychone geschrieben / welcher letzte nicht
wenig auff die Reden eines seiner Vernunfft beraubeten
Menschen gehalten. Wie ich nun gerne gestehe daß solche
Feiler so hoher Seelen / höchst schädlich vnd verwerfflich; 20
also wolte ich wünschen daß von allen derogleichen
nichtigen vnd verdammten Wissenschafften auch nicht
das Gedächtnüß auff Erden mehr verhanden. Indessen
muß allhier Celinde bewehren / daß der Vorschlag solcher Mittel Gottlos / der Gebrauch gefährlich / die Wür- 25
ckung vnglücklich. Ob jemand seltsam vorkommen
dörffte / daß wir nicht mit den Alten einen Gott auß

---

3 Leo Allatius, griech. Gelehrter. Zeitgenosse von Gryphius, Gesandter
Gregors XV. bei der Übergabe der Heidelberger Bibliothek an den Vatikan.
8 beschweren = beschwören (vgl. I,268).
16 Hieronymus Cardanus (Jerome Cardan), italienischer Mathematiker
und Arzt des 15. Jahrhunderts. – Petrus Gassendus (Pierre Gassendi).
Seine Darstellung des Lebens von Tycho Brahe erschien 1654 in dem
Werk *Tychonis Brahaei, Nicolai Copernici, Georgii Puerbachii, et Joannis
Pegiomontani Vitae.*
20 Feiler = Fehler.
24 bewehren = bewähren, dartun.

dem Gerůste / sondern einen Geist auß dem Grabe her-
fůr bringen / der bedencke was hin vnd wieder von den
Gespensten geschrieben. Ich wil den Leser mit den be-
kanten Geschichten nicht auffhalten / sondern nur zwey
Beyspiel schier eines Schlags mit vnserm auß dem Moscho   5
hieher versetzen / vmb so viel mehr weil dessen Buch
nicht sonders bekand / vnd die Begebungen nie von
denen angezogen oder berüh-[Ajv^r]ret / welche sich die
Eigenschafften der Geister zu erforschen bemühet / so
schreibet gedachter Grich in seinem Buch / dem er den   10
Nahmen einer geistlichen Wiesen zueignet. Cap. 77. Ich
vnd mein Herr Sophronius giengen zu dem Hause deß
Sophisten Stephani, vmb von jhm gelehret zu werden /
es war gleich Mittag / er hielt sich auff bey der Kirchen
der heiligen Gottes-Gebårerin / welche der selige Vater   15
Eulogius gegen Osten bey dem grossen Tetraphylo gebauet / als wir nun an seine Thůre klopften: Sihet vns
ein Mågdlein an / vnd antwortet; er schlafe / man můsse
noch ein wenig verziehen. Ich hub an zu meinem Herren
Sophronio; last vns in das Tetraphylum gehen vnd all-   20
dort verharren. Es pflegen aber die Bůrger von Alexan-
dria diesen Ort in hohen Ehren zu halten / denn sie
sagen es habe Alexander der die Stadt gebauet / die Gebeine deß Propheten Hieremiae auß Egypten erhoben /
vnd alldar beygesetzet. Als wir nun dahin kommen / fin-   25
den wir niemand als drey Blinde / denn es war Mittag.
Wir giengen derowegen gantz stille vnd ruhig zu diesen
Blinden / vnd nahmen vnsere Bůcher vor vns / sie aber
die Blinden redeten von vnterschiedenen Sachen / vnd
einer forschete von dem andern wie er vmb sein Gesichte   30
kommen. Dieser gab zur Antwort daß er einen Schipper
in seiner Jugend abgegeben / vnd wåre nach dem [Ajv^v]

5 auß dem Moscho. Gemeint ist Joh. Moschus (auch: Eviratus, Eve-
rates), ein Mönch des siebten Jahrhunderts, der mit Sophronius Reisen
im Mittelmeergebiet unternahm. Gryphius bezieht sich auf sein Werk
Leimōn.

sie von Africa abgereiset in dem Meer vnversehens erblindet / hätte nicht fortgehen können / vnd den Staar
bekommen. Dieser nun fraget hinwiederumb den ersten
wie er blind worden / welcher antwortet / er wäre ein
Glasbläser gewesen / vnd seiner Augen verlustig wor- 5
den / durch das Feuer welches jhn berühret. Endlich wenden sich die ersten beyde zu dem dritten vnd sprechen /
melde du vns gleichsfalls auff was Weise du erblindet.
Welcher anhub: Ich wil euch die Warheit sagen: Als ich
noch jung / war ich der Arbeit hefftig gram / schlug die- 10
selbige auß vnd gerieth ins Luder / vnd weil es mir an
nöthigen Lebens-Mitteln fehlte / begont ich zu stelen. Als
ich eines Tages / nach viel begangenen Bubenstücken in
einem Orte stund / vnd einen Todten außtragen sahe /
welcher wol bekleidet / folgete ich der Leichen / zu 15
schauen wo sie hingeleget würde: Man gieng hinter die
Kirchen deß heiligen Johannis, legte sie in ein Grab /
vnd begab sich nach verrichtetem Ambt zurück. So bald
ich vernommen daß sie (die Trauer-Leute) hinweg /
machte ich mich in die Grufft / zog den Todten auß vnd 20
ließ jhm nichts als ein Leinen Tuch. In dem ich nun auß
dem Grabe mit vielen Kleidern beladen steigen wil /
geben mir meine böse Gedancken ein / nim auch das Leilach / denn es ist köstlich. Ich Unglückseliger kehre wieder [Av^r] vmb / daß ich jhm das Leilach hinweg nehmen 25
vnd jhn also nackend liegen liesse; der Todte aber erhub
sich; strecket seine Hände über mich vnd rieß mir mit
den Fingern die Augen auß. Und ich elender bin nach
dem ich alles verloren mit grosser Angst vnd Gefahr auß
dem Grabe kommen / etc. In folgendem Capitel erzehlet 30
ein ander Jüngling Johanni dem Abt deß also genanten
Riesen-Klosters seine Missethat mit folgenden Worten:
Ich / mein Vater / der voll aller Laster / vnd weder deß
Himmels noch der Erden würdig / vnd vor zweyen Ta-

25 nehmen. Vielleicht: nehme (= nähme).

gen gehöret / daß eines reichen Mannes auß den vor-
nemsten dieser Stadt / Tochter / so noch Jungfraw gestorben / vnd mit vielen vnd köstlichen Kleidern in eine
Grufft vor der Stadt begraben; bin auß Gewonheit dieses schändlichen Wercks / deß Nachts zu dem Grabe kom-   5
men / hinein gestiegen / vnd habe sie entkleidet. Nachdem ich aber alles hinweg genommen wormit sie angezogen / auch nicht deß Hembdes verschonet / sondern
dasselbige abgezogen / sie so nackend als sie geboren verlassen / vnd numehr auß der Grufft hinauß wolte: Setzte 10
sie sich auff vor mir / streckte die lincke Hand auß / ergrieff damit meine Rechte vnd sprach zu mir; du leicht-
fertigster Mensch geziemet dir mich also zu entblösen?
Fürchtest du GOTT nicht! oder entsetzest du dich [Av^v]
nicht vor der Verdammung deß letzten Lohnes? Hättest   15
du nicht zum wenigsten dich über mich Todte erbarmen
sollen? Bist du ein Christ? vnd hast vor ehrlich gehalten
daß ich so nackend vor Christum treten solle? Hast du
das Weibliche Geschlecht also entehren dörffen? Hat dich
dieses Geschlecht nicht geboren? Hast du nicht deine   20
Mutter selbst durch dieses Unrecht das du mir angethan /
geschändet? Wie wilst du vnglückseliger Mensch Christo
vor seinem erschrecklichen Richterstul Rechenschafft
geben wegen dieses Lasters; das du wider mich begangen?
In dem bey meinem Leben kein frembder je mein An-   25
gesicht beschauet; vnd du hast nach meinem Begräbnüß
mich entblösset / vnd meinen Leib nackend gesehen. Weh
über der Menschen Elend; in was Unglück ist es gefallen!
Mit was Hertzen O Mensch! Mit was Händen emp-
fängst du den Heiligen vnd werthen Leib vnsers HErren 30
JEsu Christi? Ich / als ich dieses gesehen vnd gehöret /
ward voll Entsetzung vnd Schreckens / vnd konte in
Zittern vnd Furcht kaum zu jhr sagen; laß mich gehen /
ich wil dieses nicht mehr thun. Sie aber sprach: War-
hafftig! es wird nicht so seyn. Denn du bist herein kom- 35
men wie du gewolt: Du sollst aber nicht herauß gehen

wie du wilst. Denn dieses soll [Avjʳ] vnser beyder gemei-
nes Grab bleiben / vnd bilde dir nicht ein / daß du bald
sterben werdest; sondern du wirst die Gottlose Seele
übel verlieren / nachdem du zuvor sehr viel Tage wirst
allhier gequälet worden seyn. Ich aber bat sie mit viel 5
Thränen / daß sie mich erlassen wolte / beschwor sie hefftig durch den allgewaltigen GOtt / versprach vnd
schwur / daß ich dieses vngerechte vnd böse Werck nicht
mehr begehen wolte. Endlich gab sie mir nach vielem
meinem bitten / Thränen / vnd hefftigem Schlucken zur 10
Antwort: Wo du leben vnd auß dieser Noth errettet
werden wilst: So versprich mir / daß wo ich dich erlasse /
du nicht nur von diesen schändlichen vnd vnheiligen
Thaten abzustehen / sondern auch stracks der Welt ab-
zusagen / ins Kloster dich zu begeben / vnd in dem Dienst 15
Christi Busse vor deine Verbrechen zu thun dich ent-
schliessen wollest. Ich aber schwur vnd sprach: Bey GOtt
welcher meine Seele auffnehmen wird / ich wil nicht nur
thun was du gesaget / sondern wil auch von dem heuti-
gen Tag an / nicht in mein Hauß gehen / vnd mich von 20
hier / vnd in die Einöde begeben. Da sprach die Jungfraw: Bekleide mich / wie du mich vorhin gefunden; als
ich sie aber angezogen legete sie sich wieder nieder vnd
entschlief. Kan nun jemand diesen Erzehlun-[Avjᵛ]gen
Glauben zustellen: So wird Celinden vnd Cardenio Ge- 25
sichte jhm nicht so vngereimet vorkommen. Deren Meynung aber / die alle Gespenster vnd Erscheinungen als
Tand vnd Mährlin oder traurige Einbildungen verlachen:
Sind wir in kurtzem vernünfftig an seinem besondern
Ort / zu erwegen entschlossen / vnd geben jhnen 30
indessen vnseren Cardenio vor ein Traur-
Spiel / das ist vor ein Getichte.

Inhalt deß Trauer-Spiels.

CArdenio welcher in Olympien verliebet / entschleust sich
Lysandern jhren Ehe-Gemahl / der durch eine vnbillice
List / jhre Heurath erlanget / zu ermorden / Bononien zu
verlassen / vnd sich nach Toleto in sein Vaterland zu be-   5
geben. Celinde von Cardenio verlassen / vnd von seinem
Abschied verwitziget / suchet allerhand / auch endlich
zauberische Mittel jhn in jhrer Liebe fest zu halten. Beyde
aber werden durch ein abscheuliches Gesicht von jhrem
Vorsatz abgeschrecket / vnd durch Betrachtung deß Todes   10
von jhrer Liebe entbunden. Wie nun Catharine den Sieg
der heiligen Liebe über dem Tod vorhin gewiesen; so
zeigen diese den Triumph / oder das Sieges-Gepränge deß
Todes über die jrrdische Liebe.

    Das Trauer-Spiel beginnet wenig Stunden vor Abends / 15
wehret durch die Nacht / vnd endet sich mit dem Anfang
deß folgenden Tages.

    Der Schaw-Platz ist Bononien die Mutter der Wissen-
schafften vnd freyen Künste.

---

4 Bononien = Bologna.

Personen deß Trauer-Spiels.

CArdenio. Verliebet in Olympien.

Pamphilius. Sein geheimer Freund.

Olympia. Lysanders Gemahl.

Lysander. Vor diesem Cardenio Seiten-Buhl /
nun Olympiens Ehe-Gemahl.

Viren.   Olympiens Bruder.

Celinde.   Ein Fråulein in Cardenio verliebet.

Silvia.   Ihre Stadt-Jungfraw.

Tyche.   Eine Zauberin.

Cleon.   Sacristain oder Kirchen-Bewahrer.

Diener deß Cardenio.

Storax. ⎫
Dorus.   ⎬ Lysanders Diener.

Ein Geist in Gestalt Marcellens.

Ein Geist in Gestalt Olympiens.

Die Reyen sind der Bononiensischen Jugend /
wie auch der Jahr-Zeiten der Zeit
vnd deß Menschen.

ANDREAE GRYPHII

Unglücklich Verliebete

TRAUER-SPIEL.

Die Erste Abhandelung.

Cardenio. Pamphilius.

Der Schaw-Platz bildet Cardenii Gemach ab.

P a m p h i l. SO ist der Vorsatz denn durch keine Macht
           zu wenden?
C a r d e n i o. Man halte mich nicht mehr in den
           verfluchten Enden:
Da ich in schnöder Lust / in toller Eitelkeit /
Und grimmer Angst verthan die beste Lebens-Zeit.
Wol dem / der nicht wie ich den Fuß hieher gesetzet;   5
Dem kein verfälschter Wahn den blinden Geist verletzet
Dem vor die Weißheit nie ein thöricht Weib beliebt.
Der nie den hohen Sinn durch herbe Lust betrübt
Wer war ich als an mir / sich mein Geschlecht erquickte:
Als mich ein Feind voll Neid nicht ohne Furcht anblickte: 10
Als die gelehrte Stadt mich mit Entsetzung hört!
Und meine Feder gleich der blossen Klingen ehrt.
Wer bin ich! leider nun! ein Schimpff der alten Ahnen!
Ein Spott deß nechsten Bluts: Was sind die Sieges-Fahnen

Die ich allhier erjagt: Als jmmer neue Schmach: 15
Ein niemal friedlich Hertz vnd täglich wachsend ach!
[2] Viel besser wenn ich mich in glantzen Stahl beschlossen
Und vor das Vaterland das frische Blut vergossen;
Viel besser wenn ich mich durch Thetis Schaum gewagt /
Und auff der wüsten See ein wüster Land erjagt.   20
Ich hätte mit mehr Ruhm die Faust an Pflug geschlagen:
Und dieses Feld gebaut das mich vmbsonst getragen
Ja vor der frembden Thür ein schimmlend Brot begehrt
Als hier mit Zeit vnd Gut die einig' Ehr verzehrt.
Ade den Stadt die ich mir zum Verterb geschauet: 25
Und du dem ich mich selbst bey manchem Fall vertrauet /
Nihm noch mein letztes an: Die Rechnung ist gemacht!
Die Segel sind gespannt: Ich scheide / gute Nacht!
P a m p h i l. Du scheidest zwar von hier doch nicht auß
                              meinem Hertzen!
Dem nichts dich rauben wird / doch laß mir deiner   30
                              Schmertzen
Nicht falsches Denckmal zu! vnd gönne mir zu letzt /
Die Nachricht / wie du hier die Jugend auffgesetzt.
C a r d e n. Die Nachricht wie ich hier in Wahnwitz mich
                              verwirret:
Wie fern ich von dem Pfad der Tugend außgeirret?
Wol! wol! geschicht es zwar nicht sonder meine Pein!   35
So müß es dennoch dir ein Warnungs-Spiegel seyn!
Ich zehlte (wo mir recht) die zweymal eilfften ähren!
Als mich der Eltern Rath nach embsigem begehren /
An diesen Ort verschickt: Durch vnerschöpfften Fleiß
Zu kauffen Wissenschafft vnd nicht geschminckten Preiß   40
Durch auß gegründter Lehr! Ach freylich wol gemeynet!
Doch / wie wenn vns zu Nacht ein falsches Irrlicht scheinet:
Man offt den Weg verläst vnd in die Täuffen fällt /
In welchen man versinckt. So ists mit mir bestellt.

17 glantzen = glänzenden.
25 den = denn.
43 Täuffen = Teufen, Tiefen.

Zwar erstlich! wust ich nichts als von berühmten Sachen   45
Die Menschen / trotz der Grufft / vnsterblich können
                  machen;
Dafern Diane kam; gieng Phoebus über mir /
Sie funden bey mir nichts denn köstliche Papier!
Ich lehrt vnd ward gelehrt; vnd klüger vor den Jahren /
Manch greisser Bart erstarrt ob meinen gelben Haren /   50
[3] Auch muntert ich den Leib zu allen Künsten auff /
Sprang auff ein hurtig Pferd / begab mich in den Lauff.
Begrieff das Lauten-Spiel / gewohnte frisch zu singen:
Bewegte mich im Tantz / verstand die Art zu ringen!
Und wo ich von mir selbst die Warheit melden kan /   55
Der Degen stand mir gleich der leichten Feder an.
P a m p h i l. Ich hab es mehr denn offt gesehn vnd
                rühmen hören!
C a r d e n. Ach leider! diesen Ruhm den ließ ich mich
                bethören.
Du triffst den rechten Zweck! der Dünckel nam mich ein!
Ich glaubt es könte mir kaum einer gleiche seyn /   60
Diß war die erste Bahn die mich von gutem führte:
Das war die erste Gifft die meine Sinnen rührte.
Kam jemand mir die quer vnd gab sich etwa bloß /
So war die Faust bereit / so gieng die Klinge loß.
Hiedurch ward allgemach mein jrrend Ehre kräncker /   65
Man hieß mich hier vnd dar den vnverzagten Zäncker:
Ich selbst nam in der Brunst mein Laster nicht in acht
Biß mich mein eigen Sinn auff neue Sprünge bracht /
Biß hieher war ich frey vnd hatte nichts geliebet:
Doch daß mir diese Pein die Sinnen nie betrübet /   70
Kam nicht von Tugend her: Weil mich der Wahn verkehrt
Ich schätzt auß Ubermut / nicht eine / meiner werth
Biß ich das Wunder-Bild Olympien beschauet:
Die mich vor dem ergetzt / ob der mir jetzund grauet:
Die als ein Wirbelwind mich hin vnd her gerückt /   75
Und mein zerscheitert Schiff in langem Sturm zustückt.
Ich sah sie vnd entbrand! sie fühlte neue Flammen!

Kurtz: Ihr vnd mein Gemůt die stimmten wol zusammen:
Mein Wahn / mein eigen Sinn / verlor sich allgemach.
Und meine Wilder-Art gab jhren Sitten nach.   80
P a m p h i l. Die Liebe wenn sie wil verrichtet Wunder-
                              Sachen:
Und kan die wilden zahm /die feigen kůhne machen /
Sie meistert vnsern Geist / vnd mustert den Verstand
Sie schärfft den blöden Sinn / vnd stårckt die schwache
                              Hand.
[4] C a r d e n. Wir waren gleich am Stand / wir waren   85
                              eins von Sinnen:
P a m p h i l. Kein ander Heurath-Gut hab ich je schåtzen
                              können.
C a r d e n. Ihr tapfferes Geschlecht gab meinem nichts
                              bevor /
So daß ich sie zur Braut / nach jhrem Wuntsch / erkor.
Ich ließ / als sie es stimmt / der schönsten Vater grüssen:
Und jhn von dieser Lieb' vnd treuem Anschlag wissen.   90
Er / wie mir kurtz hernach durch einen Freund entdeckt /
Ward von der Heurath durch mein Rasen abgeschreckt.
Ich sprach er / kenn' jhn wol: Sein Stamm ist sonder Tadel.
Die hohe Wissenschafft vergrössert seinen Adel.
Die Tugend / der Verstand steht seiner Jugend an!   95
Er ist ein solcher Mensch als jemand wůntschen kan:
Doch die zu freye Faust vertunckelt alle Sachen:
Die jhn in jeder Aug vnd Ohren herrlich machen /
Verzagten bin ich feind / vnd weiß der Ehre Ziel.
Jedoch Cardenio thut leider was zu viel!   100
Wolt' ich Olympien jhm gleich von Hertzen geben!
Bald wagt er sich zu frech vnd bringt sich vmb sein Leben!
So ist sie sonder Eh: Vielleicht auch sonder Ehr:
Rennt er den ander tod; so schmertzt es noch vielmehr.
Fast jhn der Richter nicht: So muß er flüchtig bleiben /   105
Und wir die Zeit in Angst vnd Bitterkeit vertreiben!

___

89 stimmt = bestimmt. – der schönsten = der Schönsten.

Drumb besser was zu früh als gar zu spåt beklagt
Man meld' jhm daß ich schon Olympien versagt.
P a m p h i l. O mehr den herber Schluß. C a r d e n. Schluß
der mit tausend Threnen

Schluß der mit tausend Angst vnd vnerschöpfftem sehnen 110
Und beyderseits betraurt: Ward ich hierdurch verführt:
So ward Olympie wol lebendig gerührt!
Wie (schry sie) bin ich denn / auch eh' ichs weiß /
versprochen!

Kan diß ein Vater-Hertz! ist alle Trew gebrochen /
Gilt keine Liebe mehr! schlågt er sein werthes Kind /   115
Und dessen Wolfahrt denn so vnbedacht in Wind?
Wer ists denn der mich kriegt: Werd ich auch lieben können:
Den der vmb meine Gunst kein Wort mir dörffen gönnen!
[5] Bin ich so vnversehns vnd als im Traum versagt:
Nicht als ein freyes Kind / als ein erkauffte Magd?   120
Diß sprach sie vnd noch mehr; sie bat voll heisser
Schmertzen:

Setzt mich Cardenio, setzt mich nicht auß dem Hertzen:
Wer weiß wo Zeit vnd Freund vnd Gott ein Mittel findt
Das mich mir wieder gibt vnd gantz mit euch verbindt
Wir schwuren denn auffs new' einander keusche Treue: 125
In åusserster geheim! ich gieng mit etwas scheue
Vor jhrem Fenster vmb / vnd nicht als wenn die Nacht
Der Himmel-Fackeln Heer in jhre Reyen bracht!
Ein vnbefleckt Gespråch war diß was vns ergetzte:
Schaw aber wie auch hier mein Unglück mich verletzte: 130
Der Jungfraw Bruder gab auff mein besuchen acht
Und zog die reine Lieb' in schåndlichen Verdacht.
Diane sah' herab mit gantzem Angesichte /
Als er mich überfiel; die Nacht ist was zu lichte /
Rieff er / Cardenio zu deiner Missethat.   135
Ist mir der Weg nicht frey? Dir steht die weite Stadt
Gantz offen: Meyde nur die meiner Eltern Gassen:

109 den = denn.

Und solt ich mir von dir die Bahn verbitten lassen?
Er auff das Wort gefecht griff mich mit Eisen an!
Ich wich gleich einem der den Arm nicht regen kan /   140
Der Schwester Liebe stieß mich jeden Trit zurücke:
Er schriebs der Zagheit zu / vnd schertzte mit dem Glücke /
Wol! fleucht der alle trotzt! diß Wort war mir zu schwer /
Ich trat jhm auff den Leib vnd stieß die leichte Wehr /
Recht vnter seine Brust. Er sanck' / ich must entweichen 145
In dem sein weinend Hauß jhn / gleich entseelten Leichen /
Auß seinem Blut auffhub / vnd Artzt vnd Balsam sucht
In dem Olympie dem rauen Unfall flucht /
P a m p h i l. Diß Schwerdt hat wie ich meyn' der Liebe
                          Band zerhauen.
C a r d e n. Wir Menschen jrren stets. Wo wir vns sicher 150
                          trauen /
Sinckt vnser Schiff in Grund. Wenn mans verloren hålt /
Hat das Verhångnüß offt das beste Glück bestellt.
Denn als Viren ermahnt: Den Stoß an mir zu rechen
Begunt er; er wolt ehr selbst seiner Zeit abbrechen;
[6] Als dem zu wider seyn / der / was er frech begehrt   155
Ihm langsam / vnd getrotzt / hått' ohne List gewehrt.
Was sag ich! er war kaum zu ersten Kråfften kommen
Die Feindschafft / wie mans nennt ward freundlich
                          vnternommen /
Er åndert allen Haß in vnverfålschte Gunst
Und wûntscht Olympien werth meiner keuschen Brunst.   160
P a m p h i l. So bricht die Sonn hervor nach rauen
                          Donnerschlågen
Und dem mit Himmel-Feur vnd Schloß-vermischten
                          Regen.
C a r d e n. Sie brach vns freylich vor / doch wie sie
                          schöner steht

139 Wort gefecht = Wort-Gefecht.
144 trat jhm auff den Leib = nahe kommen (håufiger: . . . auf den
Hals); vgl. I,314.
153 ermahnt = ermahnt wurde.

Im fall der Tag verkůrtzt vnd sie zu rasten geht
Und schwartzen Nåchten rufft. So lieff die schônste   165
             Wonne
In hôchste Trûbsal auß. Sie meine Seelen Sonne
Hatt' ander Hertzen auch in heissen Brand gesetz't /
Die sich vnwissend' jhr an jhrem Glantz verletzt /
Doch keiner war so kůhn sein Angst jhr zu entdecken:
Und jeder fand vor sich was måchtig jhn zu schrecken: 170
Lysander nam allein ein seltsam Mittel vor /
Und kauffte durch viel Gold der Kammer-Jungfer Ohr /
Die (O Verråther Stůck) jhn in das Ruhe-Zimmer
Der keuschen Seele fûhrt: Und (was vnendlich schlimmer)
Sich gantz vnwissend hilt. Wie nun die Nacht anbrach   175
Und mein' Olympie besucht jhr Schlaf-Gemach
Und der versteckte sich sie anzusprechen wittert
Und jhr zu Fusse fållt; erstarrt sie vnd erzittert
Und als das Schrecken jhr den Athem wieder gibt /
Rennt sie hell schreyend fort; Lysander laufft betrûbt   180
Ob diesem Mißschlag durch: Wird heimlich außgelassen
Durch die mit schuldig war. Er hatte schon die Gassen /
Als das entweckte Hauß sich ob der That bewegt
Und mit Gericht vnd Licht durch alle Kammern regt.
Olympe die nicht recht bey Nacht den Feind erkennet: 185
Hat als sie ward befragt auß Argwohn mich genennet /
Die Meynung ward verstårckt / weil man mich zimlich nah
Und bey noch offner Thůr die Straß abwandeln sah.
Man hilt mich eilend fest / mir ward die That verwiesen.
Viren der anderwerts so trefflich mich gepriesen;   190
[7] Zog diesen Schimpff zu Mut / vnd eiferte behertzt
Das ich sein Hauß vnd Stamm vnd Schwester so geschertzt /
Ich wand mein Unschuld vor / die man nicht hôren wolte.
Weil der Beweiß zu viel nach jhrer Meynung golte.
Biß daß nach hartem Sturm die Sorgen-volle Nacht /   195
In Kummer / Unlust / Angst vnd Schwermut durchgebracht.

---

177 sich wittert = sich zeigt (vgl. V,221).
184 Gericht = Strick- und Schlingenwerk zum Fangen des Wildes.

Und der betrübte Tag vns all' auffs neue quälte /
Mich der Olympens Ehr vor gantz verloren zehlte:
Die Eltern die im Zorn sich über mich erhitzt:
Und den Verräther selbst den sein Gewissen ritzt   200
Olympiens Geschlecht trat bey dem Fall zusammen:
Die meisten suchten mich auß Eifer zu verdammen:
Die minder Anzahl doch gestützt durch mehr Verstand
Schlug besser Mittel vor vnd schloß daß meine Schand
Dem Ruhm Olympiens zu nahe lauffen könte: 205
Nichts besser denn: Als daß man mir die Jungfraw gönte
Und dämpffte den zu weit auß brechenden Verdacht.
Der Meynung fiel man bey: Es ward an mich gebracht.
P a m p h i l. Diß gieng nach deinem Wuntsch. C a r d e n. Es
                    gieng hier gantz verkehret
Auß Eifer hasst ich jetzt / was Lieb vnd Trew begehret   210
Ich sagt es klar herauß: Ich hätte sie geehrt
Als jhre Keuschheit nicht durch solchen Fall versehrt
Ich hätte sie geliebt: Als ich jhr nur behaget
Jetzt nun sie frembde selbst ins Schlaf-Gemach vertaget
Acht' ich mich was zu hoch vor eines andern Rest   215
Ich stellte Zeugen auff / die Sonnen-klar bevest;
Daß ich vmb selbte Stund' als mir Viren begegnet /
Geschieden vom Panquet vnd nüchtern sie gesegnet:
Daß weil bey jhnen Tag vnd Abend ich verzehrt;
Nicht möglich / daß durch List ich heimlich eingekehrt /   220
In ein verwahrtes Hauß das allerseits beschlossen:
Wenn schon bey später Nacht die Riegel vorgeschossen!
Sie zeugten! ich verfuhr. Der Vater ward bestürtzt
Und hätt auß Hertzeleid schier seine Zeit verkürtzt;
[8] Als auch Olympie die er auff schärff'st außfragte   225
Ihm vmb die Füsse fiel vnd naß von Threnen klagte:
Sie hätt in Furcht vnd Eil sich nicht recht vmbgeschaut
Und auß Vermuttung nur die That mir zugetraut.
P a m p h i l. O wahres Ebenbild durch auß vermischter Dinge!

214 vertaget = einlädt (ursprünglich: vor Gericht laden).
216 bevest = bezeugten, bestätigten.

Wie ein erhitztes Roß durch vngewohnte Sprünge /   230
Den Ritter mit sich reist: Und führt nicht wie er wil;
So zeucht der Himmel vns von dem auff jenes Ziel.
C a r d e n. Als nun durch diesen Sturm das Wasser recht
                  getrübet:
Gibt sich Lysander an; streicht auß wie er geliebet
Entdeckt auch seine Schuld vnd bittet die zur Eh /   235
Die durch sein frevlen ist gestürtzt in höchstes Weh.
Nichts daß mehr vnwerth sey / als Jungfern die die Zungen
Deß vnbedachten Volcks begeyvert vnd beschwungen:
Der Vater schlägt zu: Sie die in Haß entbrand
Gibt bloß / nur mir zu Trotz / Lysandern jhre Hand /   240
Lysandern auff den sie auß heisser Rach erzittert;
Und mir zu Trotz! weil sie mein Abschlag höchst erbittert.
P a m p h i l. Und so verläufft sie sich in vngeheure Noth.
C a r d e n. Und mich noch zehnfach mehr in den gewissen
                  Tod.
Gedencke wie die Seel' in Reu' vnd Angst gebrennet /   245
Als ich jhr Unschuld vnd Lysanders Trug erkennet:
Wie ich den Eifer-Sinn / wie ich den Tag verflucht /
Da ich so frech verschmäht was ich so steiff gesucht.
Ich fand Gelegenheit / doch nur zu meinen Schmertzen:
Da ich Olympien auß hochbetrübtem Hertzen   250
Tieff vmb Verzeihung bat / vnd / ob sie vnbewegt
Mir lange wider-stund; in neue Bande legt.
Wir trugen beyderseits Mitleiden mit einander:
Und liebten mehr als vor. Wir schrieben dem Lysander
Und dem Verhängnüß zu was sie vnd mich getrennt: 255
Und wuntschten seiner Lieb ein so erschrecklich End
Als falsch der Anfang war! schaw wie das Glücke spiele
In dem ich in dem Wahn gantz new Erquickung fühle
Und lesch' in höchster Gunst Lysanders Hoffnung auß:
Schreibt mir mein Vater zu vnd fordert mich nach Hauß /   260
[9] Theils weil sein alter Leib durch Seuchen hart beschweret

238 beschwungen = ins Gerede gebracht.

Theils weil sein Beystand jhn ans Königs Hof begehret:
Wie rett' ich beyde nun! Er wil getröstet seyn:
Hier wüntscht Olympe sich entbrochen jhrer Pein.
Er bittet: Sie noch mehr! doch auff sein fünfftes   265
                Schreiben:
Schwer ich Olympien vnendlich trew zu bleiben /
Und eh der zweytte Mond im Himmel kan vergehn /
Schwer ich vor jhrem Aug' ohn alles falsch zu stehn.
Ich schwere durch Papier sie wochentlich zu ehren:
Und sie von meiner Reiß vnd Wiederkunfft zu lehren. 270
Und mache mich von hier! ach! was ein Mensch gedacht;
Steht; was er jmmer thut doch nicht in seiner Macht!
Ich komme glücklich fort / deß Vatern Seuche schwindet
In dem er mich gesund in seinen Armen findet:
Der Hof steht seiner Bitt auff mein ersuchen zu: 275
Ich setz in kurtzer Zeit mein gantzes Hauß in Ruh
Hier kehr ich alles vmb. Ich schick vnzehlich Schreiben;
Die leider auff der Post gehemmt vnd liegen bleiben
Olympie die gantz nichts von mir wissen kan /
Klagt meinen Wanckelmut vnd duppelt Untrew an.   280
Mich / der kein Antwort könt' auff alle Brief empfangen /
Legt Kummer / vnd Verdacht vnd Feber-Hitz gefangen.
Doch richt ich mich zuletzt von meinem Siechbett' auff
Und mache / noch nicht recht erquickt / mich auff den Lauff.
Ach leider! viel zu spät. Alsbald ich an war kommen   285
Und nach Olympien vnd meinem Heil vernommen:
Erfahr ich! daß nunmehr Lysander sie ergetzt:
Ja daß jhr Heuraths-Tag bestimmt vnd angesetzt.
Ich hilts vor Phantasey. Biß mir ein Freund erzehlet:
Es hab Olympie sich lange Zeit gequälet /   290
Ob meinem aussen seyn / daß keinerley Bericht /
Kein Schreiben je ersetzt: Lysanders Angesicht
Wär jhr zwar wie vorhin vnangenehm gewesen /
Lysander hätte selbst auß jhrer Stirn gelesen
Sein Ungunst / jhren Haß: Auch hätt er sich betrübt   295
Daß er auß Unvernunfft so freventlich geliebt /

[10] Und vnbedacht gesucht was er erbitten sollen:
Doch hab er sich selbselbst auffs höchste zwingen wollen
Zu der verlobten Dienst: Die letzlich jhn beklagt /
Daß er sein Glück vmb sie / die jhm doch feind / gewagt 300
Sie hätte die Geduld Lysanders müssen loben
Und allgemach mich gantz auß jhrem Sinn verschoben:
Lysander hätte diß genommen stracks in acht
Und jhr mitleidend seyn zu höchster Liebe bracht /
Sie wären denn nun zwey / doch zwey mit einem   305
                                        Hertzen:
Und feilte wenig Zeit zu jhren Hochzeit-Kertzen:
Ich nam die raue Post mit solchem Schrecken an /
Als kein verdampter Mensch sein Urtheil hören kan.
Noch vnterließ ich nichts (wie kurtz die Zeit!) zu wagen
Ich sucht jhr meine Trew durch Schrifften vorzutragen. 310
Sie nam kein Schreiben mehr / vnd schickt auff letzte mir /
Stat Antwort / ein verwahrt doch ledig Blat Papir.
Ich ließ mich / als ein Weib / durch meine Freund anlegen:
Und trat jhr ins Gesicht auff offentlichen Wegen /
Und zog mein Unschuld an / sie wegerte Gehör   315
Und nams als stünd ich jhr nach jhrer reinen Ehr.
Der Himmel / sprach sie / hat mir eine Seel gegeben!
Ich bin Lysanders Braut / Cardenio mag leben!
Der Himmel hat von jhm mich gäntzlich abgeschreckt:
Der mir sein falsches Hertz zum zweytenmal entdeckt – 320
Mit diesem ging sie durch: Und ließ mich sonder Sinnen:
Wie wenn in Sterbens-Angst die Geister vns zerrinnen.
Mein Feber grieff mich an vnd hilt mich im Gemach
Biß daß jhr Heurath-Fest (O trüber Tag) anbrach!
Da hab ich mich erkühnt mit dreymal drey Gesellen /   325
Bey jhrem Lust-Panquet ein tantzen anzustellen
Wir traten in den Saal in schwartzer Trauer-Pracht
Verhüllt vnd gantz vermummt: Ich sprang in solcher
                                        Tracht

306   feilte = fehlte.
315   wegerte = weigerte.

Wie der verliebte Printz: Der den Verstand verloren /
Als seine Lust vor jhn den Medor außerkoren.   330
Lysander der vns nicht in dieser Wolck erkant /
Danckt vns mit höchster Ehr. Olympie entbrant'
[11] Vor Ungeduld vnd Scham: Und ließ sich doch nicht
               mercken /
Umb meine Hoffnung nicht durch jhr Gesicht zu stärcken /
Celinde hat allein ich weiß nicht was erblickt   335
Dadurch sie mich entdeckt / sie schaute mich entzückt
Mit heissen Seuffzen an / die fruchtlos abgegangen /
Weil mich Olympie noch gar zu fest gefangen.
P a m p h i l. Olympie die schon Lysanders eigen war?
C a r d e n. Die Liebe wächst in Noth vnd stärckt sich   340
               durch Gefahr.
Und wüntscht / durch was nicht ist / vnd vnerhörte Sachen
Und nie gebahnte Weg' jhr Anschläg außzumachen.
Lysanders Hochzeit-Feur war schon in Asch verkehrt /
Doch meine Flamme nicht die heimlich mich verzehrt
Ich dacht auff neue Stück: Und als er einst verreiset;   345
Hatt ein erkauffte Magd mich in sein Hauß geweiset /
Ich kam denn als ein Weib die Frücht vnd äpffel trägt
Als sich Olympie zur Mittags-Ruh gelegt /
Es war gleich eins bey jhr / erblicken vnd erkennen:
Ich sah' jhr Angesicht vor Zorn vnd zittern brennen.   350
Und eh' ich reden könt' ach! sprach sie! ach zu viel!
Zu viel Cardenio! ein Ende mit dem Spiel!
Ich bin von Edlem Stamm; bin vnbefleckt geboren:
Und wie du weist / zur Eh' vnd keuschen Ehr erkoren.
Die drey verbitten mir dich ferner anzusehn!   355
Cardenio von hier! ist nicht zu viel geschehn /
Daß du mein Hochzeit-Fest mit dem verstellten rasen
Ohn alle Schew entweyht: Und Funcken auffgeblasen /
Die / wenn mein sitsam seyn / mit schweigen nicht bedeckt /

329 f. Vgl. Ariosts *Orlando Furioso*, Gesang XXIII. Orlando fällt in
Raserei, als er von der Liebe Angelicas zu Medoro hört.
354 Die Lesart von B lautet: zu Ehr und keuschen Eh'

Ein vnaußleschlich Feur in Hauß vnd Hauß entsteckt. 360
Cardenio von hier: Wo nicht so magst du wissen:
Daß man dir auff mein Wort wird beyde Lichter schlissen /
Von hier vnd glaube diß / daß die dich ehrlich libt /
Die jetzt dich tödten kan / vnd dir das Leben gibt /
Wie? Sprach ich / laß ich mir mein rasen hier verweisen 365
Da man vmb Langmut mich / wo noch Vernunfft / soll
                                                    preisen!
Laß ich Olympien in dieses Raubers Hand /
Der sie durch List erhält / der nie was Lieb' erkant.
[12] Hat meine lange Trew so rau' ade verdienet:
Ich raß Olympie! Ich habe mich erkühnet 370
Zu einem Trauer-Spiel! ich komm in dein Gesicht /
(Ade Olympie) von dieser Stund' an nicht /
Als mit Lysanders Blut vnd meinem Blut gezihret;
So sprach ich vnd lieff stracks wo mich mein Grimm hin
                                                    führet /
Schloß auch denselben Tag zu enden meine Noth. 375
Zu dämpffen meine Lieb' ins Feindes Blut vnd Tod.
P a m p h i l. Doch ward der raue Schluß nicht schleunig
                                                    fortgesetzet.
C a r d e n. Weil das Verhängnüß mich mit neuer Glut
                                                    verletzet /
Ich hatt auß jener Hof kaum heimwarts mich gekehrt
Als von Celinden mir ein Schreiben ward gewehrt. 380
Die bat / daß ich bey jhr wolt eine Nymfe schauen /
Die mir ein wichtig Stück gesonnen zu vertrauen.
Ich / als ich jhrem Brief in etwas nachgedacht
Begab mich bey jhr Hauß nicht viel vor Mitternacht /
Ich hört vmb jhre Thür Viol' vnd Lauten klingen 385
Doch mehr zu Schimpff' als Ehr' ich hört ein Liedlein singen
Von jhrem Wanckelmut / das ging mir bitter ein /
Ich fiel den Hauffen an / schlug mit dem Eisen drein.
Sie setzten sich zu Wehr: Und musten doch erliegen:

363 libt = liebte.

Man sah Pandor vnd Hut / vnd Kling' vnd Harffe   390
         fliegen
Biß ich / vnd vnverletzt / die Thür allein einnam
Da mir Celinde selbst erschreckt entgegen kam.
Sie danckte / daß ich sie bey dieser Zeit ersuchte:
Daß ich die Schaar verjagt: Die jhrer Tugend fluchte
Und jhren Ruhm verletzt (wo diß ein Schmach-Lied   395
         kan:)
Und bot zur Danckbarkeit sich mir zu eigen an.
Wir traten ins Gemach / da keine sonst zu finden:
Celind' vmbfing mich vnd vertraute mir Celinden:
Entdeckt jhr heisse Lieb' vnd wůntscht sie mőchte mein:
Vor viel Olympien vnd strenge Buhlen seyn.   400
Ich schied' eh Titan kam die Sternen zu verschlissen:
Als ich den Tag hernach sie wolt' auffs new begrůssen;
Kam sie mir schőner vor vnd freyer denn vorhin:
Und fing halb seuffzend an. Cardenio ich bin /
[13] Ich bin / Cardenio, die nur durch jhn kan leben: 405
Und die sich selbst vor jhn wolt' in die Flammen geben:
Doch wil er meiner Lieb ohn Leiden theilhafft seyn:
So lern' er wer ich sey / vnd geh den Rathschlag ein.
Ich / die von altem Stamm' vnd edlen Blut geboren:
Hab Eltern in dem Glantz der ersten Zeit verloren   410
Bin durch nicht treue Freund' vmb meiner Mutter Pracht;
Und vmb deß Vatern Gut durch Anverwandte bracht.
Krieg / Mangel / Haß vnd Noth hat mich so weit gerissen:
Daß ich der Keuschheit Blum zu letzt auffsetzen můssen /
Zwar einem / der durch Gold vnd Ansehn mich besprang   415
Doch durch nicht minder Lieb in dieses Hertze drang!
Und einig mich berůhrt: Auch wǎr' ich jhm vermǎhlet
Wenn er nicht zimlich jung den Ritter-Stand erwehlet
Der jhm die Eh verbeut. Er hǎlt mich noch allhier
Mit hőchsten Kosten auff / vnd schicket fůr vnd fůr /   420

390 Pandor = Zither.
393 ersuchte = aufsuchte, besuchte.
401 Titan = der Sonnengott.

Was zu ersinnen ist. Sein übergroß Vermögen
Kehrt in die Zimmer ein! wo nun jhm nicht entgegen
Cardenio daß ich dem zu Gebote steh /
Der vns so prächtig nährt / so leb ich sonder Weh
Zwar von Marcellus Gut / doch lieb ich jhn alleine   425
Cardenio mein Licht: Den ich auff ewig meyne!
Sie schloß mit einem Kuß! vnd ich gab alles nach
So schwimmt der Ulmen-Baum wenn jhn die strenge Bach
Auß seinem Grunde reist. So fiel ich mit Celinden
Durch reitzen schnöder Lust in vor verhaste Sünden   430
Ich der ein keusches Bild so Eifer voll geliebt
Ward durch befleckte Gunst in heisser Brunst betrübt /
P a m p h i l. Ich zitter! ists Marcell der vnlängst vmb ist
                                   kommen:
C a r d e n. Ja freylich; hör jetzt an wie jhm der Geist
                                   benommen;
Hör jetzt den frembden Fall / den ausser mir kein Man /   435
Umbständlich (wer er auch /) vor Augen stellen kan.
Wir zwey / Celind vnd ich / entbrant in gleichen Flammen:
Verfügten vns zwar offt doch sehr verdeckt zusammen
Und wären Zweiffels ohn noch lange nicht erwischt /
Wenn nicht mein Unverstand Marcellus Geist erfrischt /   440
[14] Mich daucht es nicht genung daß mich Celind'
                             erwehlet
Wenn ich nicht dieses Glück den Wäldern hätt' erzehlet /
Und in Gedichte bracht die sie mit Anmut sang
Wenn die geschickte Faust auff jhrer Laut' vmbsprang /
Hier rührt sein Unfall her / denn als er einmal kommen   445
Und in Celindens Hand ein lang Papier vernommen /
Beschwärtzt durch meine Brunst / erstarrt er vnd begehrt /
Zu wissen / welcher jhr so heissen Brief gewehrt /
Sie gibt zwar lachend vor doch zitternd im Gewissen:
Sie hätt' es Sylvien nechst auß der Faust gerissen /   450
Er zweiffelt vnd verbarg den Eifer der jhn nagt /

451 Eifer = Eifersucht.

Und noch dieselbte Stund auß jhrer Wohnung jagt.
Kaum war Marcellus fort als ich bey jhr erschienen:
Er wolte sich der Zeit zu seiner Spur bedienen
Vnd wie ich noch nicht recht beschritten jhr Gemach /   455
Kommt er von Zorn erhitzt mir auff der Ferschen nach.
Hilff Gott! wie haben wir vns alle drey befunden /
Die Zungen waren vns vor Grimm vnd Furcht gebunden.
Er fiel Celinden an / die Alabaster bleich /
Vnd plötzlich ward gefärbt durch seinen Backenstreich.   460
Eh' jhr noch warmes Blut vom Antlitz abgeflossen:
Kam seines durch mein Schwerdt auß seiner Brust
                                geschossen:
Er taumelt vnd verging ich rieff Celind' auff / auff.
Hier ist nicht lange Frist: Wer leben wil der lauff:
Er / als wir in der Eil den besten Schmuck einpackten: 465
Vnd Gold / Geschmeid / vnd Stein in seidne Tücher
                                 stackten:
Erhub / wie schwach er war / sein sterbend Angesicht.
Vnd rieff mit schwacher Stimm: Ich bitt entweichet nicht
Cardenio ich wil dir meinen Tod verzeihen:
Wo du mir wilt dein Ohr vnd Faust vnd Beystand   470
                                 leihen
Ich red ohn alle List: Komm führe mich von hier
Ich schwere bey dem Thron deß Richters über mir
Daß ich auffs minste nicht durch Rache dich wil kräncken.
Ich suche nur mein End vnd Elend zu bedencken /
Ich bitte: Daß ich mich versöhnen kan mit Gott   475
Daß ich mein Hauß befrey von dem so herben Spott:
[15] Als ob ich meinen Stand so schlecht in acht genommen
Daß ich sey durch ein Weib in diesem Ort vmbkommen:
Auch werdet jhr dadurch erlöst von Furcht vnd Flucht /
Wenn niemand meinen Tod von euren Händen sucht.   480
Siht jemand meine Wund' im Weg' vnd Hause bluten
Dem wil ich weil ich kan einpflantzen diß vermuten

456 Ferschen = altertümliche Form für Ferse (Luther: versche).

Ich sey durch frembde Feind vmbringet bey der Nacht /
Vnd durch dich auß der Noth zu meiner Wohnung bracht.
Ich bitte schlag nicht ab mein åusserstes begehren /   485
Komm führe mich von hier vnd von Celindes Zehren /
Vnd ließ auß meinem Blut wie groß jhr Vndanck sey:
Wie leicht jhr Wanckelmut! wie: Aber ich verzeih!
So viel / vnd lehnte sich an meine rechte Seiten.
P a m p h i l. Vnd hast du dich erkühnt nach Hauß jhn   490
                          zu begleiten.
C a r d e n. Ich thats / als der mir selbst vnd meinem Leben
                          gram!
Doch hilt er redlich Wort; als er ins Zimmer kam:
Vnd durch der Diener Fleiß entkleidet vnd geleget;
Hat sein der Artzt vmbsonst / wie weiß er auch / gepfleget:
Er schlug die Mittel auß: Vnd sucht in heisser Rew   495
Deß höchsten Königs Gunst vnd vnerschöpffte Trew.
Vnd gab den zweyten Tag den Geist in meinen Armen!
Nachdem er kurtz zuvor gerühmet mein erbarmen /
In aller Gegenwart; vnd so das Werck beschönt /
Daß anderwerts mich / jhn vnd sein Geschlecht verhönt. 500
P a m p h i l. Ist diß Marcellus Fall! O heisser Durst der
                          Ehren!
Den nicht die Rach-Lust kan vnd nicht der Tod versehren!
Der vor deß Feindes Angst / deß Himmels Ruh begehrt!
O Seele beßren Glücks vnd andren Abschieds werth.
C a r d e n. Man glaub': Ich hab jhn offt geehrt mit   505
                          meinen Threnen!
Mit innerlicher Rew' vnd Kummer-vollem Sehnen!
Sein sterbendes Geberd' ermuntert mich die Nacht /
Vnd nimmt Celinden mir vnd alles auß der acht.
Ach wo verfiel ich hin: Wer bin ich vor gewesen!
Wer jetzt! wo werd' ich doch! wenn werd ich doch   510
                          genesen!
Was stehst Olympie! was stehst du strenge mich!

---

483   vmbringet = umringt.
511   stehst = zu stehen kommst, kostest.

Was hab ich auffgesetzt? Doch hat ein ander dich!
[16] Auff! last vns denn von hier; du über-trew Gemüte!
Verzeihe daß ich noch mißbrauche deiner Güte
Verrichte was ich bat' vnd sey nach Mitternacht /   515
Wo meine Wohnung ist zu suchen mich bedacht.

Cardenio, Diener.

Geh werther Freund / geh hin / was ich dir noch verborgen;
Mein letztes Abscheid'-Stück entdecke dir der Morgen.
Die Reiß ist zwar bestimmt. Doch eh' ich komm ins Feld
Muß durch gerechten Zorn Lysander auß der Welt /   520
Ist diß mein Diener? Recht! wie? Hast du was
                              vernommen?
D i e n e r. Lysander wird gewiß noch diese Nacht
                              ankommen:
Er ist nicht fern von hier / ich hab jhn selbst gesehn
Vnd rennt alsbald voran! C a r d e n. So ists vmb jhn
                              geschehn.
Ich wil das falsche Blut vor morgen noch vergissen /   525
Vnd durch gewüntschte Rach ein langes Leid beschlissen
Der ist Olympie nicht deiner Liebe werth:
Der dich dem Rauber låst / dem du durch List beschert.

Reyen.

Der hohe Geist der in der Sterbligkeit /
Vnsterblich herrscht: Der seines Fleisches Kleid   530
Als eine Last / (so bald die Stunde schlägt
Die scheiden heist) gantz vnversehrt ablegt;

Der hohe Geist würd' alles was die Welt /
Was Lufft vnd See in jhren Schrancken hålt /
Was künfftig noch / vnd was vorlångst geschehn;   535
Mit lachen nur vnd Miß-Preiß übersehn /

Dem Vogel Trotz! der in die Lufft sich schwingt
Ob schon der Schall der harten Donner klingt /
Vnd ob der Sonn' auff die er einig harrt /
Mit steiffem Aug sich wundert vnd erstarrt.   540

[17]   Der hohe Geist wůrd über alles gehn /
Vnd bey dem Thron der höchsten Weißheit stehn;
Wenn beyde Flügel jhm nicht fest gehemmt /
Vnd Fůß vnd Leib mit schwerer Last beklemmt.

Alsbald er auff den Kreiß der Dinge trat   545
Erschrack der Fůrst der zu gebitten hat
Der Vntern-Welt / der wenn er vmb sich blickt /
Neid / Haß vnd Grimm in vnser Licht außschickt.

Er schüttelte dreymal sein Schlangen-Har
Die Höll erbeb't; was vmb vnd vmb jhn war   550
Versanck in Furcht / die Glut schloß einen Ring
Als er entsteckt von heissem Zorn anfing;

Auff! Götter auff! die mit mir von dem Thron
Hieher gebannt: Es steht nach jener Kron
Die ich besaß / ein hoch-glückselig Bild   555
Das leider mehr bey seinem Schöpffer gilt!

Man ging zu Rath: Es ward ein Schluß erkist
Zu dämpffen was deß Menschen himmlisch ist /
Mit Macht vnd Trug! bald drungen auß der Nacht
Geitz / Hochmut / Angst / Einbildung / Wahn vnd   560
                    Pracht.

Doch allen flog erhitzte Brunst zuvor
Die voll von List den Nahmen jhr erkor
Von steter Lieb' vnd vnter jhrem Schein
Die Hertzen nam mit Gifft vnd Gallen ein.

Ihr bot alsbald die Rach-Lust treue Hand   565
Die / leider! jetzt der allgemeine Tand
Auff dem Altar der tapffern Ehren ehrt /
Indem die Burg der Ehren wird zustôrt.

Die Rasereyen pochen was man schåtzt /
Vnd heilges Recht auff festen Grund gesetzt;   570
Sie stecken Reich vnd Land mit Flammen an
Die auch kein Blut der Vôlcker dåmpffen kan.

[18]   Sie fårben See vnd Wellen Purpur-roth
Sie stůrtzen Stůl vnd Kronen in den Koth /
Vnd treten was auff Erden sterbens-frey   575
Vnd ewig / mit entweyhtem Fuß entzwey.

Sie reissen (ach!) deß Menschen reine Seel
Von jhrem Zweck in deß Verterbens Hôl
Vnd ziehn / die den Gott gab den Himmel ein
Auß stiller Ruh / in jmmer-strenge Pein.   580

Die Andere Abhandelung.

Der Schaw-Platz bildet einen Lust-Garten ab.
Celinde singend vnd spielend auff der Laute.

Fleuch bestůrtzter Fůrst der Sternen
Meiner Seelen Lust vnd Ruh!
Eilt von mir sich zu entfernen.
Himmel steht jhr dieses zu!
Vberfållt mich diese Pein!   5
So verkehrt sich mein entseelter Leib in Stein.

569   pochen = vernichten.
579   den = denen.

Falscher! hat mein feurig lieben
Nie dein frostig Eiß erweicht
Hab ich diese Klipp erreicht
Auff der mein Hertz gantz zutrieben   10
Vnd durch dein verkehrt Gesicht
In verzweiffelns-Sturm auff tausend Stůcken bricht.

Fleuch mein Geist! fleuch vnd verschwinde
Eh die raue Stund ankômmt
Die mir Zeit vnd Leben nimmt   15
Daß ich mich nicht in mir finde!
Macht daß meine Seel entreist!
Was verzeuchst du mehr durch auß verwåister Geist.

[19]   Flisst jhr herben Threnen-Båche /
Lescht der Augen Fackeln auß /   20
Deß gekrånckten Leibes Hauß
Sinckt vnd stůrtzt. Ich selbst zubreche /
Weil der Donner vmb mich kracht /
Vnd mich in dem nun / zur Handvoll Aschen macht /

Sie reist die Seiten von der Lauten / vnd
wirfft sie von sich.

Fleuch Geist / fleuch. Kont ich mich der Vntrew je   25
                                vermutten!
So hått ich mir gewůntscht / durch schwitzen / tod zu
                                blutten /
Durch Flammen zu vergehn! auff Felsen auß der Hôh
Zusplittern Brust vnd Bein / in nie erdachtem Weh
Zu suchen meinen Tod: Es håtte mich der Degen
Der dich Marcell erstieß auch můssen niederlegen: 30
Marcell ach! der du mich nur gar zu trew geliebt /
Den mehr Celindens Angst / denn eigner Tod betrůbt!
Komm blasser Geist komm vor / auß deiner Ruhe-Kammer /
Vnd schaw auff deine Rach' vnd meiner Seelen Jammer.

In den ohn eine Schuld mich der Verråther setzt;   35
Der vmb Celinden dich voll Eifers hat verletzt.
Ha grimmer-grauser Mensch! zu meinem Ach geboren!
Durch den ich Freyheit / Lust / Trost / Ruh vnd mich
                                        verloren /
Vnd nur zu meiner Pein in diesem Leibe schmacht'
Denn / wenn ein Tod vor mich / ich Augenblicks bedacht 40
Zu reissen auß der Zeit! ich die bey frischen Jahren
Vnd Blüte der Gestalt / so hart beschimpfft erfahren;
Daß Liebe Drachen-Gifft vor Honig vns gewehr'
Vnd falschen Wanckelmut vor treue Gunst bescher'
Die Erden stinckt mich an! wie kan ich sonder Grauen   45
Das Auge dieser Welt / die lichte Sonn anschauen
Die vorhin meine Freud / jetzt meine Schmach bestralt
Vnd mein bestürtzt Gesicht mit scheuer Röthe mahlt.
Die bleiche Cynthia, vor Zeugin meiner Lüste:
Verweist mir jene Zeit in der man mich begrüste   50
[20] In der Cardenio mir in die Armen fiel
Vnd diesen Geist erquickt durch süsse Seitenspiel /
Was Anmut gaben vor / die Sorgen-freyen Nåchte /
Was schreck' vnd grauen jetzt? Bald klingt mir das
                                        gefechte
(Indem Marcell erblast) durch mein verletztes Ohr: 55
Bald kommt er mir durchnetzt von Blut vnd Threnen vor.
Rufft heischer vnd verweist daß ich nun selbst verlassen
Die ich vorhin verließ: Bald hör ich durch die Gassen
Ein klåglich Abend-Lied vnd wein' vmb daß man singt:
Vnd mein recht lebend Leid auff frembde Seiten bringt / 60
Biß ein Verstarren schleust die nassen Augenlieder:
Denn fållt mich Morpheus an: Vnd reist mich hin vnd wieder
Durch Hecken-volle Berg' / in ein Cypressen Thal:
Vnd vnbewohntes Feld / vnd mahlt die raue Qual
Verliebter Seelen ab! Medèen seh' ich rasen: 65

---

49 Cynthia = Diana, die Mondgöttin. – vor = zuvor, vorher, früher.
57 heischer = heiser, rauh (vgl. V,345).

Ich seh auff Didus Brust von Blut geschwellte Blasen:
Die bleiche Phyllis hangt von jhrem Mandelbaum /
Alcione sucht Ruh auff toller Wellen Schaum.
Doch wenn ich dich mein Hertz / Cardenio, erblicket
Schiß ich noch schlummernd auff / bald wirst du mir   70
                         entrůcket
Vnd gehest fern von mir durch eine raue Bahn;
Ich folge! doch vmbsonst: Es ist vmb mich gethan.
Du schlågst mein Winseln auß: Doch / kanst du mehr nicht
                         lieben;
Warumb denn muß dein Bild auch traumend mich betrůben!
Was red' ich vnd mit wem! wie wenn die heisse Macht   75
Der Seuchen vns besiegt / ein zagend Hertze schmacht /
In hart entbrandter Glut; vnd die geschwåchten Sinnen
Empfinden nach vnd nach wie Krafft vnd Geist zerrinnen /
Indem die inn're Flamm nunmehr den Sitz anfållt
In welchem sich Vernunfft gleich als beschlossen hålt /   80
Denn taumelt der Verstand / denn jrren die Gedancken /
Denn zehlt die schwartze Zung deß abgelebten Krancken
Viel vngestalte Wort in stetem schwermen her /
Die Augen blind von Harm / von stetem wachen schwer
Sehn was sie doch nicht sehn! die Ohren taub von sausen! 85
Die hôren hier Trompet; hier Schwerdt vnd Drommel
                         brausen /
[21] So handelt mich die Noth! was Rath! komm Gifft vnd
                         Stahl;
Vnd end' / (ich bin mein selbst nicht mehr) die lange Qual.
Cardenio ist taub! mich soll der Tod erhôren
Den ich in meiner Faust – – – – – –   90

66 Didus = (Genitiv von Dido) Dido, die sagenhafte Gründerin Kar-
thagos.
67 Phyllis = Tochter des thrakischen Königs Sithon, wird später in
einen Mandelbaum verwandelt (Ovid, Heroid. II,96).
68 Alcione = Tochter des Äolus, Gemahlin des Ceyx, wurde in einen
Eisvogel verwandelt (Ovid, Metamorph. 11, 348 ff.).

Sie erwischt ein Messer.

Celinde. Sylvia. Tyche.

C e l i n d. ———— Wolt jhr mein Elend mehren
Mit trôsten sonder Trost vnd rathes-losem Rath.
T y c h e. Holdseligste den Rath bewehrt vollbrachte That.
S y l v. Wer vntersincken wil sucht Mittel sich zu retten!
C e l i n d. Wir suchten / wenn wir hier nur einig Mittel
　　　　　　hâtten.
S y l v. Wo noch ein Mittel ist so schlâgt es Tyche vor. 95
C e l i n d. Ihr Mittel klingt zu raw in meinem zarten Ohr.
T y c h e. Sie wil denn daß ich sie von Liebe soll entbinden!
C e l i n d. Nein / in Cardenio soll sie die Lieb entzünden.
T y c h e. Sie richtet jhren Wuntsch stets nach dem alten
　　　　　　Ziel:
C e l i n d. Doch so daß sein Verstand den minsten 100
　　　　　　Schaden fühl.
T y c h e. Gemütter sind so leicht nicht vnverletzt zu
　　　　　　zwingen!
C e l i n d. Man soll Cardenio mir vnverletzt zubringen.
T y c h e. Diß thut kein Liebes-Tranck / er greifft die
　　　　　　Sinnen an!
C e l i n d. Der liebt nicht / der mich nur auß rasen lieben
　　　　　　kan!
T y c h e. Genung vor mich / wenn ich der Liebe nur 105
　　　　　　geniesse:
C e l i n d. Mir nicht! daß mich der Mund vnd nicht das
　　　　　　Hertze grüsse.
T y c h e. Ein solches Lieben rührt auß hôherm Vrsprung
　　　　　　her.
C e l i n d. Ein solch' ists die ich von Cardenio begehr.
T y c h e. Hat er denn sie vorhin so inniglich geliebet.
C e l i n d. So / daß sein Abschied mich biß auff den 110
　　　　　　Tod betrübet:
T y c h e. Wie wenn als menschlich ist der Tod hâtt' euch
　　　　　　getrennt /

C e l i n d. Denn wer auff seiner Asch mein glůend Hertz
verbrennt.

T y c h e. Sie bild jhr ein er sey auff ewig jhr gestorben!

C e l i n d. Wenn nicht ein ander jhn durch neue Gunst
erworben!

T y c h e. Sie schlage diesen Wahn gantz mit jhm auß 115
der Acht!

C e l i n d. Mein liebend Eifer ists der ewig in mir wacht.

[22] T y c h e. Vmbsonst! wenn sie auff jhn kein Vortheil
kan erlangen.

C e l i n d. O warumb bin ich nicht mit erster Zeit
vergangen!

T y c h e. Viel andre wůntschen nach dem lieblichen
Gesicht.

C e l i n d. Dein ists Cardenio, vnd keines andern nicht. 120

T y c h e. Die grosse Schőnheit wird leicht andre Freund'
erwerben!

C e l i n d. Cardenio mein Freund ich wil die deine sterben!

T y c h e. Sein Vndanck hat ja nie so treue Gunst verdient.

C e l i n d. Ade! ich habe mich zu jedem Tod' erkůhnt.

S y l v. O Himmel! sie vergeht! T y c h e. Ey noch 125
nicht Mut verloren.

Celind! S y l v. Es ist vmbsonst sie hőrt mit tauben Ohren.

T y c h e. Celind! C e l i n d. Wer hålt mich hier / ey
gőnnt mir meine Ruh!

T y c h e. Nein Schőnst: Es ist noch Rath. C e l i n d. Komm
Tod! du Trőster / du!

T y c h e. Mitleiden prest mir auß recht vnverfålschte
Zehren.

C e l i n d. Ach leider! wil man mir den sůssen Tod 130
erwehren!

T y c h e. Nur Mutt! mir fållt gleich jetzt ein sicher Mittel
ein.

C e l i n d. O mőcht auff dieser Welt es zu erlangen seyn.

112 Denn wer = Dann wär.

T y c h e.   Zwar scheints ein wenig schwer: Doch möcht es
seyn zu finden!
C e l i n d. Man wird auff ewig mich durch diesen Dienst
verbinden.
T y c h e.   Wo jemand der sie trew' vnd ohne Falsch   135
geliebt
Vor kurtzer Zeit entseelt. C e l i n d. Ich werd' auffs new
betrübt /
Marcell durch deinen Tod. T y c h e. Vnd jrgends hie
vergraben!
So must ich dessen Hertz zu diesem Vorsatz haben /
Daß ich zu rechter Zeit vorhin mit jhrem Blut /
Vmb etwas angefrischt wolt auff geweyhter Glut /   140
Verbrennen gantz zu Asch: S y l v. Ich zitter es zu hören!
T y c h e.   Der Aschen Krafft muß ich mit heil'gen Worten
mehren.
So bald Cardenio darvon was beygebracht /
Es sey in frischem Wein / es sey in Taffel Tracht /
Es sey in Zuckerwerck vnd was nur zu erdencken /   145
Auff Blůmlein die man pflegt zum riechen zu verschencken:
Wird er durch neue Flamm' entsteckt mehr denn vorhin
Die suchen die er fleucht: So wahr ich Tyche bin.
[23] C e l i n d. Wenn nun der Artzt vmbsonst hat Fleiß vnd
Zeit verschwendet:
Vnd was nicht helffen kan bey Krancken   150
auffgewendet /
Schlägt er / damit kein Schimpff sein altes Lob verzehr:
So frembde Kräuter vor / die niemals über Meer
In diesen Port gebracht! hätt ich die Specereyen:
(So spricht er) wolt ich stracks der Schmertzen euch befreyen
Ja schafft den Siechen auch zuweilen etwas an   155
Das keinem möglich ist vnd niemand leisten kan.
So eben handelt jhr vnd rühmt von solchen Dingen
Die mir vnd keinem nicht sind möglich auffzubringen!

144 Taffel Tracht = aufgetragene Speise.
155 anschaffen = verordnen.

Vnd dardurch gebt jhr mir nichts anders zu verstehn
Als daß ich sonder Rath müß in der Qual vergehn.   160
T y c h e.   Warumb doch: Wenn Marcell so viel auff sie
gehalten?
Muß nicht sein Cörper sonst in einer Grufft veralten!
Wie leicht ist Sarg vnd Brust eröffnet bey der Nacht!
Wie leicht ist / was so schwer vns důnckt / zu wegen bracht.
C e l i n d.   Die Augen starren mir: Ich schreck'!   165
ich beb'! ich zitter!
Soll der bißher vmb mich so wol-verdiente Ritter:
Vmb dich Cardenio (wie vorhin Seel vnd Geist /)
Jetzt auch sein todtes Hertz hingeben! Parcen reist /
Reist meine Faden ab!   T y c h e.   Wen hat sie mehr geliebet?
C e l i n d.   Den freylich / der mich jetzt so schändlich   170
übergibet.
T y c h e.   Vnd wagt sich selbst vor jhn? Warumb nicht
eine Leich?
C e l i n d.   Diß Stück ist vnerhört / vnd keinem Zufall
gleich.
T y c h e.   Es ist vorhin gethan vnd hochbewehrt befunden.
C e l i n d.   Ists möglich: Daß ein Mensch so viel sich
vnterwunden?
T y c h e.   Die Eisen-harte Noth die vnser Leben quält   175
Zwang Seelen / Himmel an: Wo man die Sternen zehlt;
Zwang Seelen in der Lufft: In Wäldern Rath zu suchen:
Der Abgrund ward durchforscht: mit Segnen vnd mit Fluchen
Riß man das ehrne Thor der tieffsten Höllen auff:
Durch frembder Worte Macht begab sich in den Lauff /   180
Ein fest gewurtzelt Stamm: Die Geister in den Lüfften
Entdeckten was vns noth. Die Leichen auß den Grüfften
[24] Verkündigten den Schluß den die Verhängnüß schrieb
Nichts war / das durch die Kunst vnüberwunden blieb
Die manch' ein grosses stund: Kein Fleisch / kein   185
Eingeweide

169 die Faden = alter Plural von der Faden.
185 stund = zu stehen kam, kostete.

Der Kålber war genung / kein Hirsch in wilder Heide
Von Hunden auffgejagt! kein vnberührter Stier:
Kein auffgewachsen Hengst! kein vnvernünfftig Thier.
Die Geister / die die Welt die noth Geheimnüß lehren;
Muß man mit reinem Blut erkiester Menschen ehren: 190
Die forderten von dem ein vngeboren Kind /
Von dem die Mutter selbst. Der mûst als taub vnd blind
Auff einer Wegscheid jhm die keusche Tochter schlachten /
Die jenen rühr' ich nicht die jhre Feind' vmbbrachten /
Vnd brauchten von dem Blut befleckt vnd law vnd naß 195
Den abgestreifften Kopff zu einem Weyrauch-Faß /
Bekleidet mit der Haut / mit einem Darm vmbwunden.
Man hat ein zartes Kind noch lebendig geschunden /
Vnd auff das weiche Fell mit Blut die Schrifft gesetzt:
Die den vnd jenen Geist bald zwinget bald ergetzt.   200
Man hat deß Knaben Haupt vmbdrehend abgerissen
Auß welchem nachmals sich die Geister hôren lissen:
Man hieb mit Ertz von dem / von jenem Côrper ab /
Was zu dem Opffer dient / man stanckert in dem Grab
Nach einer schwangern Faust / man zog den dûrren   205
                    Leichen
Die feuchte Leinwand auß; wenn etwa zu erreichen
Ein dorrendes Geripp / ein halb-verbrandtes Aas;
Ein Leib von welchem schon die Schaar der Raben fraß:
Feirt vnser Hauffe nicht: Man liß sich nicht erschrecken
Deß Nachts von einem Pfal auff dem Gespiste stecken   210
Zu rauben Daum vnd Haar / biß Mut vnd Fleiß vollbracht
Wornach der scharffe Sinn der Sterblichen getracht.
Warumb? Vmb die Natur durch neue Macht zu binden!
Cometen in der Hôh vnd blitzen zu entzünden:
Zu stopffen frische Quåll / vnd Wellen zu erhôhn /   215
Wenn schon die Winde nicht (die an dem Joch vns gehn.)
Sich regen in der See! es muß auff vnser fragen

---

189 noth Geheimnüß. Gryphius verlangt im Druckfehlerverzeichnis von
B: Nothgeheimnüß.
204 stanckert = stochert, durchwühlt.

Ein Vieh' / ein Baum / ein Bild / ein Marmor Antwort sagen!
[25] Es kommt auff vnser Wort ein Fürst auß seiner Ruh
Der Proserpinen zog vor tausend Jahren zu /   220
Noch jetzt: wil sie der Frucht / Holdseligste genissen
So muß sie / daß der Kärn / was harte / nicht verdrissen /
Sie wag' es: Wer verzagt! hat nichts zu wegen bracht:
Sie schaff jhr stete Lust durch Arbeit einer Nacht.
C e l i n d.   Wenn man in solcher That mich vnversehns   225
                              ergriffe?
T y c h e.   Sie ist die erste nicht / die fuhr in solchem Schiffe.
Der Hof / die grosse Stadt / das gantze Land ist voll
Von Seelen / denen nur bey diesen Künsten wol.
Viel wären eh' ins Grab als Hochzeit-Bette kommen
Wenn sie bewehrten Rath nicht bald in acht genommen: 230
Viel wären sonder Freund / vnd (was viel werther /) Gold:
Viel pflügten sonder Nutz vnd dienten sonder Sold.
Viel wären diese nicht / vor die man sie muß ehren:
Halt inn! was schwerm ich viel? Man darff nicht alles hören
Was sich verrichten läst.   C e l i n d.   Gesetzt ich stünd es 235
                              zu!
Mich hindert Thor vnd Schloß / Marcell hat seine Ruh /
In der verwahrten Kirch!   T y c h e.   Ist die nicht zu
                              entschlissen?
Hat der / der sie verwahrt / nun ein so zart Gewissen?
Nein warlich! Cleon ließ mich offt vmb Mitternacht /
Offt eh die Sonne fiel / offt eh Dian erwacht   240
Bald mit Geferten ein / bald einig / wenn von nöthen:
Durch ein getaufftes Bild deß Feindes Kind zu tödten /
Wenn wo in einer Grufft / wenn auff dem Fron-Altar
Von Wachs / Papier vnd Schrifft was zu verbergen war.
Vertraut sie auff mein Wort / ich weiß jhn zu bewegen? 245
C e l i n d.   Ich könte Tychens Rath vnd gründlich
                              widerlegen!
Doch leider meine Noth hat mich so weit gebracht!

220 Proserpina = die Göttin der Unterwelt.

Daß ich / was ich nicht wil / doch zu versuchen tracht!
Die Seele zittert mir! vnd findet sich bestritten:
Von Schrecken / Lieb / vnd Furcht! was hab ich nicht erlidten!   250
Ich wůntsche ja den Tod! kan was mehr schådlich seyn!
Als von Cardenio auff stets geschieden seyn.
So wenn der Arm entbrennt vnd die erhitzten schweren
Das lebend-faule Fleisch als rinnend Wachs auffzehren!
[26] Vnd greiffen mehr vnd mehr die nahen Mausen an /   255
Daß ohn die Sege nichts den Cörper retten kan /
Denn hålt man bey sich Rath ob besser zu verscheiden /
Ob leichter außzustehn das vngeheure schneiden
Vnd weil man in der Angst noch zweiffelt ob dem Schluß
Streckt man den Arm dahin! ich leider Tyche muß   260
Hinfolgen wo du gehst! versuch (ich wil es reichen)
Durch auffgezehltes Gold / den Cleon zu erweichen.
Durchforsche sein Gemůt! T y c h e. Sein Hertz ist mir
                                  bekand
Er setzt jhr Gut vnd Gott vor baares Gold zu Pfand.

Reyen.

Es ist nicht ohn / wer auff Morast sich wagt /   265
(Wie schön er überdeckt mit jmmer frischem Grase
Das vnter jhm doch reist gleich einem schwachen Glase)
Hat (doch zu spåt) die kühne Lust beklagt.

Er sinckt / wenn jhn nicht Rettung stracks erhålt
Bald über Knie vnd Brust / in die verschlämmten   270
                                  Pfützen /
Die Stimme schleust der Koth / der Stirnen kaltes schwitzen
Verwischt der Schilff darunter er verfållt.

So eben gehts / wenn man die Sünd anlackt /
Vnd wil ohn eine Schew mit jhren Nattern spielen;

255   Mausen = Muskeln.
256   Sege = Säge.

So fühlt man / eh man recht kan jhre Bisse fühlen 275
Daß sich die Gifft schon durch die Adern macht.

Celinde, kaum durch geile Brunst erhitzt /
Verließ das erste Feur vnd brant in neuen Flammen
Indem Marcell den Fall auch sterbend wil verdammen
Vnd durch die Brust Blut auff die Glut außsprützt. 280

Der Mord ist nicht recht in die Grufft versteckt;
Sie raset sonder Zaum vnd wil durch Frevel finden
Was jhrer Schönheit macht ohnmächtig ist zu binden.
Was fängt sie an? Starrt Seelen vnd erschreckt!

[27] Der tolle Dunst / das schwartze Zauber-Spiel / 285
Soll hier geschäfftig seyn / man wil das Grab entweyen
Man fällt die Glieder an / die Sarg vnd Grab befreyen
Was suchst du doch! hier suchst du viel zu viel!

Halt weil noch Zeit! verführter Geist halt an!
Ach nein! du sündigst vmb mehr Sünde zu begehen! 290
Soll denn der Laster Lohn in diesem Lohn bestehen;
Daß keines lang' vnfruchtbar bleiben kan.

Die Dritte Abhandelung.

Der Schaw-Platz stellet Lysanders Hauß vor.

Olympia. Vireno.

Du köntest mir fürwahr nicht besser Zeitung bringen
Als daß Lysander nah' / jhr Himmel lasts gelingen
Daß ich jhn heute noch in meinen Armen seh:

283 macht = Macht.

V i r e n. Ich wůntsche daß es bald vnd glůcklich auch gescheh.

O l y m p. Ich weiß kein grösser Glůck in dieser Welt zu   5
                                          hoffen /

Als seine Gegenwart. Mein Hertze steht jhm offen

Nicht nur sein eigen Hauß. V i r e n. Es ist mein hôchste
                                          Lust:

Daß die so laue Lieb hab endlich deine Brust

Mit wahrer Flamm entsteckt / was hat er nicht gelidten:

Als du vor jener Zeit durchauß nicht zu erbitten.   10

Wie ging er dir so steiff / so vnverdrossen nach /

Vnd duldet allen Hohn; das rauschen stiller Bach

Vnd sein liebreiches Wort war eins in deinen Ohren /

Du hâttest nur vor jhn / holdselig seyn / verloren:

Nun hat die Liebe dir / die du bißher bekriegt   15

Doch durch Lysanders Trew zum letzten obgesiegt.

O l y m p. Mein Bruder ich gesteh' es hat mir nie behaget /

Was er bey stiller Nacht durch meine Magd gewaget /

Daß ein beschlossen Hauß er durch sein Geld erbrach

Vnd als Verrâther drang in keusche Schlafgemach.   20

[28] Was kam es mich zu stehn! was Eltern vnd Verwandten;

Ich ward der Zungen Spiel: Vnd die mein Hertz erkanten

Die zogen doch mein Ehr' in Argwon vnd Verdacht!

V i r e n. Wahr ists! er hats mit vns mehr denn zu grob
                                          gemacht!

O l y m p. Ach keiner lasse sich so weit den Wahn   25
                                          bethôren

Vnd such' ein rein Gemůt durch Tůcke zu entehren!

Wer List / Betrug vnd Macht zu Heuraths-Stifftern braucht;

Fângt gar zu ůbel an. Weil noch die Fackel raucht

Die man der Braut ansteckt: Raucht schon Haß / Eifer /
                                          Rache /

Vnd ewig-heisser Grimm / vnd macht die Sinnen wache   30

Durch rasend' Vngeduld. Die sich verkauffen lâst

Vnd ruhig sich verspielt / muß warlich nicht zu fest

Auff jhrer Ehre stehn. Er dachte mich zu fangen:

Vnd hatte leider sich zum ârgsten hintergangen.

Ich ward zuletzt auß Noth jhm auff sein Wort versagt: 35
Ich / der Cardenio, nicht sein Betrug behagt.
Hilff Gott! wie schlug mein Hertz: Wenn ich jhn must'
anschauen
Denn wolte mir vor jhm biß auff das brechen grauen!
Sein Wort war mir im Ohr ein harter Donnerschlag
Ich wůntschte meinen Tod vor seinem Heuraths-Tag. 40
Er sah' (ob wol zu spåt) wie hoch er sich vergessen:
Vnd hub sein Vnglůck an mit meinem außzumessen /
Jedoch entschloß er sich zur Busse seine Schuld;
Olympens Vbermut zu lindern durch Geduld.
Vnd diese brach mein Hertz; auch fiel ich in Gedancken 45
Cardenio wår hin! so trat ich in die Schrancken
Zwar noch nicht grosser Gunst / die tåglich stårcker blůht /
Indem Lysander mir zu fugen sich bemůht /
Vnd wieder Liebe spůrt. Wir wurden drauff verbunden
Durch Pristerlichen Spruch. Ich habe diß befunden 50
Daß Lieb vnendlich sich in keuscher Eh vermehr;
Vnd wenn sie richtig / nie nach frembdem ruffen hôr.
V i r e n. Doch als Cardenio auffs new' allhier ankommen;
Vnd du sein alte Trew vnd Vnschuld recht vernommen /
[29] Ward nicht dein Geist bestůrtzt? O l y m p. Bestůrtzt; 55
doch nicht bewegt!
Ich habe Stand / Geschlecht vnd Zusag überlegt:
Ich schloß fůr Gottes Rath die stoltzen Knie zu neigen:
Der mir Lysandern ließ zum Eh'-Geferten zeigen.
Vnd ob Cardenio sich vnaußsprechlich můht /
Doch war sein Fleiß vmbsonst / wie man vor Augen siht. 60
V i r e n. So ist Cardenio denn gantz auß deinem Hertzen!
O l y m p. Lysander hat mein Hertz: Diß red ich / (vnd mit
Schmertzen;)
Cardenio hat frey was hôher mich geschåtzt:

---

35 versagt = versprochen, die Braut dem Bräutigam versprochen.
43 f. Lies: Jedoch entschloß er sich zur Busse; seine Schuld / Olympens
Vbermut zu lindern durch Geduld.
48 fugen = fügen.

Ja vor mich Ehr vnd Ruhm vnd Leben auffgesetzt /
Sein Geist war meine Seel: Ich wůntscht ohn jhn zu   65
               sterben:
Ich wůntscht jhn nur allein vor alles Gut zu erben!
Was aber! ich verspůr es sey deß Himmels Schluß
Gar anders auffgesetzt / verzeih es mir / ich muß
Entdecken was ich glaub'. Vnendlich hohe Sinnen
Begehren offt allhier den Vorsatz zu gewinnen   70
Den jhr Verlangen sucht. Sie wagen Schweiß vnd Fleiß /
Es fållt jhn alles zu / doch wenn der letzte Preiß
Ihn gleichsam in der Faust; so muß es gleichwol můssen /
Vnd als in grosser Hitz ein kaltes Eiß zuflissen.
Warumb? Deß Hóchsten Aug' in seinem Himmel siht   75
Wie hart ein sterblich Mensch vmb seinen Fall bemůht;
Wie theuer es sein' Angst / ja sein Verterben kauffe;
Wie blind es in den Pful deß tieffsten Abgrunds lauffe;
Vnd hålt mitleidend vns in diesem Wahnwitz an /
Nimmt was vns schaden mag. Gibt was vns nůtzen kan.   80
Was hier vnd dar zu sehn; blickt auch in Heuraths-Sachen;
Zwey Seelen kónnen ja hier ein Verbůndnůß machen;
Gott bindet oder trennt! was dem zu wider geht
Geht auffs verterben auß / was durch jhn kómmt / besteht.
Wenn mit Cardenio mir nůtzlich stets zu leben;   85
Er håtte warlich mir Lysandern nicht gegeben.
Ist jener vielleicht mehr mit Gaben außgeziert;
Ich bin mit dem vergnůgt was einig mir gebůhrt.
[30] Wehlt mich Cardenio? Gott hat vor mich gewehlet:
Ich traure daß vmb mich Cardenio sich quålet: 90
Mich wundert daß nunmehr sein scharffer Geist nicht seh'
Daß auff deß Herren Welt / nichts ohngefehr gescheh' /
Daß der Olympien zur Eh' jhm abgeschlagen;
Vielleicht was hóhers jhm entschlossen anzutragen.
Ich klage daß er sich nicht besser nem' in acht: 95

73 es. Zu beziehen auf Mensch (vgl. 77 u. 78).
74 zuflissen = zerfließen.
81 blickt = zeigt sich.

Vnd daß er seinen Ruhm auß Wehmut durchgebracht.
Sein Zagen! (wie ich weiß) bringt jhn auff solche Sachen
Die Ehre / Stand / Verstand vnd Lob zu nichte machen!
Der kůrtzt sein Leben ab vor dem gesetzten Ziel
Der schwartze Molchen-Gifft vor Artzney brauchen wil. 100

V i r e n.   Man sagt; er růste sich auß dieser Stadt zu
scheiden /

O l y m p.   Er wil Gelegenheit / vielleicht / zum bösen
meyden.

V i r e n.   Wer weiß wohin sein Sinn jhn etwa wieder fůhrt.

O l y m p.   Wer weiß ob nicht den Sinn die erste Tugend
růhrt.

V i r e n.   Lysander wird gewiß den grimm'sten Feind 105
verlieren.

O l y m p.   Mehr ich / die dadurch frey von seinem steten
spůren.

V i r e n.   Der Keuschheit wird vmbsonst gespůret vnd
gestellt.

O l y m p.   Die leicht doch in den Mund deß blinden Pövels
fällt.

V i r e n.   Deß Pövels toller Mund wird nicht was keusch
entehren;

O l y m p.   Man soll den Pövel nichts von keuschen   110
Reden hören.

V i r e n.   Sein Hinzug fůhrt mit jhm sein Lieb' vnd Leben
hin.

O l y m p.   Ich schätzt es / wenn er schon verreiset / fůr Gewinn.

V i r e n.   In zwey drey Tagen wirst du deß Gewins
genissen;

O l y m p.   Man kan ein grosses offt im Augenblicke missen.

V i r e n.   Was missen? Wenn der Feind das Lager schon 115
verläst?

O l y m p.   Wenn der Comet erblast; entsteckt er Gifft vnd
Pest.

110 von keuschen Reden = von Keuschen reden.

Mein Bruder laß so viel dich meine Furcht bewegen
Gib etwas auff jhn acht / sein Haß kan leicht sich regen /
Indem Lysander sich gleich jetzt anheim begiebt
Vnd er von hinnen wil. V i r e n. Wol! wie es dir   120
                              beliebt!

[31]   *Olympe.*

Cardenio von hier?
Der mit Lysanders Blut vor mir zu prangen draute?
Lysander kommt zu mir?
Den wider meinen Wuntsch der Himmel mir vertraute!
Cardenio zeuch hin!   125
Vergiß Olympiens, vergiß der heissen Rache!
Nim mit dir zum Gewin:
Du habest schlimmer Glück / doch wolgerechter Sache.
Cardenio zeuch fort;
Du mussest anderswo weit angenehmer leben;   130
Nur gönne mir den Port
Den nach dem rauen Sturm die Liebe mir gegeben.
Dein Hinzug rette mich /
Auß der so schweren Furcht in die du mich gestecket!
Dein Hinzug saubre dich   135
Von überhäuffter Schuld damit du dich beflecket.
Dein könt ich doch nicht seyn!
Weil das Verhängnüß mich Lysandern zu erkennet;
Dem laß mich nur allein:
Vnd glaube daß vns Gott / doch nicht vmbsonst /   140
                              getrennet.
Lysander komm. Ich lebe nur in dir!
Komm vnd verkürtze mein so schmertzliches Verlangen;
Lysander komm vnd lebe stets in mir
Die du von Furcht befreyt wirst recht erfreu't vmbfangen.

Cardenio.

Der Schaw-Platz ist Cardenii Gemach.

*Cardenio zündet ein Feuer an | vnd verbrennet
etliche Briefe vnd Liebes-Geschencke.*

Ich bin nicht ferner dein! die Ketten sind gebrochen!   145
Dein Zorn / mein Eifer hat mich von dir loß gesprochen!
[32] Die Flamme zehr es auff was ich je von dir trug /
Als ich vor dich mich selbst blind in die Schantze schlug!
Brennt hitzige Papir! voll Seelen / Sinnen / Hertzen /
Voll Seuffzer / Küsse / Gunst; jhr Zunder meiner   150
                                             Schmertzen!
Die offt wir beyderseits mit Threnen gantz durchnetzt
Als vns der blinde Wahn zu hoffen hat verletzt!
Brenn' eitel Pergament mit falschem Blut beschrieben!
Die liebt weit ander jetzt die mich wolt ewig lieben!
Weg du beperltes Haar! du Strick der mich gefast   155
Den die geflochten hat die mit gehäuffter Last /
Mein dienend Hertz geprest! wie fest jhr Haar gewunden:
So fest war ich vorhin / doch nun nicht mehr / gebunden!
Weg / vor mein höchster Schatz / nun ein zurissen Band
Weg / du nicht reines Gold! du Ring von meiner Hand!   160
Dein Bildnüß ist noch hier! ach soll es denn verbrennen!
Wie anders! werd ich dich denn ewig nicht erkennen?
Was hilffts? Ach must du denn / du gar zu wahrer Schein
Von meiner Seelen Sonn' vergehn vnd Aschen seyn!
Nein! daß zum minsten noch mir diß zum Denckmal   165
                                             bleibe!
Daß höchste Grausamkeit wohn in dem schönsten Leibe!
Was thu' ich? Steht sie mir nicht täglich im Gesicht
Weil etwas in mir lebt? Diß Bild erstürbet nicht
Das sie mir in die Seel' auff ewig eingedrücket
Als meine Freyheit ward schnell durch jhr Garn berücket. 170
Könt jhr Gedächtnüß nur so leicht seyn außgethan

152 verletzt. Lesart von B: verhetzt.

Als diß Gemålde brennt: Ich schifft in festem Kahn
Weg alles was mich hilt! wie schnell ist es verschwunden!
Was hatt mich Thörichten? Was hilt mich doch gebunden?
Die leichte Handvoll Asch! der Rauch! der schwartze   175
                              Dunst!
Vnd nur mein eigen Wahn vnd jetzt verfluchte Brunst!

[33]   *Reyen.*

  *Die Zeit | der Mensch | die Vier Theil deß Jahres | in
  Gestalt der Vier Zeiten Menschlichen Alters | welche
        schweigend eingeführet werden.*

Z e i t. Mensch / diß ist deß Himmels Schluß /
Dem was sterblich folgen muß /
Daß du sonder Mitgefertin nicht dein Leben sollst
                              vollbringen
Viere wird man dir vorstellen: Möchte dir die Wahl   180
                              gelingen.

Wer sich hier nicht nimmt in acht
Wer sein Glück einmal versiht
Ist vmb das was er verlacht
Für vnd für vmbsonst bemüht.

        Der Frühling wird von der Zeit auffgeführet.

M e n s c h. Du wunder-schönes Bild / du Himmel-hohe   185
                              Zir!
Kommst du auff Erden mich zu grüssen?
Ach! möcht ich stets mich vmb dich wissen!
Die Schönheit selbst ist blöd vnd vngestalt vor dir.
Was sind die Liljen noth? Worzu der Rosen Pracht?
Dein Rosen-frisches Angesichte   190
Macht aller Blumen Schmuck zu nichte /
So glåntzt das Morgen-roth / wenn es den Tag anlacht.

n. 184   auffgeführet = eingeführt.

Ihr zarten Glieder jhr / jhr Gold-gefårbten Haar
Seyd starck mein Hertze zu bestricken.
Das über euch / als im entzücken   195
Nicht fühlt worinn es schweb' in Lust ob in Gefahr
Wie hurtig ist der Gang! wie artig steht das Kleid
Doch kan der Himmel höher Gaben;
Den übrigen verliehen haben.
Das erst' ist nicht das best / stracks schlissen schafft offt   200
                  Leid.
R e y e n. Wer sich hier nicht nimmt in acht / etc.

[34]   *Die Zeit führet den Frühling ab / vnd den*
                Sommer ein.

M e n s c h. Ich dacht es wol vorhin! die sich jetzt zu mir macht
Gibt kaum der ersten nach.
Wie schmückt der åhren Krantz der schwartzen Haare Tracht!
Die Perlen tausendfach
Als Sternen vnsre Nacht entzünden   205
Wenn nun Diane soll verschwinden.

Ob schon der Sonnen Glantz die lichten Wangen fårbt
Spielt doch der Glieder Schne
Der auß der Mutter Leib / von Schmincke nichts geerbt /
Als wenn von Taurus Höh'   210
Die überdeckte Klippen malen
Mit Wider-Glantz der Wolcken pralen.

Die Sichel in der Faust / der Arm schier gantz entblöst /
Gibt warlich zu verstehn /
Daß sie nicht ruhen kan vnd Faulheit von sich stöst.   215
Zwar / last sie auch hingehn!
Schön ist sie. Doch mir was zu strenge
Ich leide Mangel bey der Menge.
R e y e n. Wer sich hier / etc.

Die Zeit führet den Herbst ein.

M e n s c h.   Noch ist biß hieher nichts verloren /
    Trit nicht deß Reichthums Göttin auff?   220
    So prächtig als zu jhrem Lauff
    Dafern Matuta new-geboren
    Die Stralen-volle Sonn erwacht
    Vnd die erquickte Welt anlacht.

    Hier pralt was Osten je gewehret;   225
    Was Peru auß der Klippen Nacht
    Hat in den lieben Tag gebracht /
    Vnd Amfitrit' jemals bescheret /
    Deß Hauptes welcken Blätter-Krantz
    Ersetzt der Diamante Glantz.   230

[35] Mein Aug erstarrt ob diesem Lichte:
    Wie treffen mit dem Widerschein
    Der schütternden Rubinen ein
    Die in dem Schoß gehäufften Früchte?
    Von jhrem Haupt / biß auff den Fuß /   235
    Ist nichts denn Pracht vnd Vberfluß.

    Doch sind die Wangen fast erblichen:
    Der vorhin weissen Glieder Schne
    Wird gelblicht / der Corallen Höh'
    Ist von den Lippen schier gewichen.   240
    Sie ists nicht die mein Hertz ergetzt!
    Das Beste kommt wol auff die letzt.

R e y e n. Wer sich hier / etc.

222 Matuta = die Göttin der Frühe.
228 Amfitrit' = Amphitrite, die Göttin des Meeres.
233 schütternden = glitzernden.

Die Zeit führet den Winter ein.

M e n s c h. Weh mir! was seh ich hier! ist diß mein gantz
verlangen
O häßlich Frauen-Bild! was ist die Fackel noth!
Bist du mir in mein Grab zu leuchten vorgegangen!   245
O lebend Sichen-Hauß / O Muster von dem Tod.
Weh mir! was find ich hier! ist diß mein langes wehlen?
Wie schlägt mein hoffen auß! O möcht' ich nun zurück
Soll' ich mich für vnd für mit diesem Scheusal quälen
O allzu späte Rew' / O höchst-verschertztes Glück.   250

Zeit.

Die ists / die du haben must /
Weil der andern dreyen keine
Würdig deiner wilden Lust /
Zage / schrey / lach / oder weine /
Da die frische Jugend nicht /   255
Nicht der vollen Jahre Blum /
Nicht ein blödes Angesicht /
Tüchtig dir zum Eigenthum
So nim / wofern du nicht wilst gantz verloren seyn /
Was noch das Alter läst / statt aller Gütter ein.   260

[36]   *Reyen.*

Kein höher Schatz ist in der grossen Welt
Als nur die Zeit / wer die nach Würden hält
Wer die recht braucht / trotzt Tod vnd Noth / vnd Neid
Vnd baut jhm selbst den Thron der Ewigkeit.

Die Vierdte Abhandelung.

Cardenio. Ein Gespenst in Gestalt Olympiens.

Der Schaw-Platz ist vmb Lysanders Hauß.

Die vorhin mehr denn angenehme Zeit
Der stillen Nacht entsteckt der hellen Lichter Reyen!
Vnd meine nimmer todte Traurigkeit
Erwacht / vnd reitzt mich an mich endlich zu befreyen.
Ihr Fackeln die jhr in den Wolcken brennt!   5
Die jhr vor diesem mir zu meiner Lust geschienen!
Als ich in toller Liebe mich verkennt /
Seyd nun bereit zur Rache mir zu dienen!
Wo jrr ich hin! wie vorhin mich die Lust
Durch Finsternüß hieß als zur Wache gehen /   10
So zwingt der Durst der heiß entbrandten Brust /
Lysander, mich nach deinem Blutt' zu stehen.
Wo bleibt mein Feind so spät? Die Häuser sind geschlossen.
Die Gassen sonder Volck / die Sternen fortgeschossen:
Diane bringt hervor jhr abgenommen Licht   15
Vnd schielt den Erdkreiß an mit halbem Angesicht.
Man hört von weitem nur die wachen-Hunde heulen /
Vnd einsames Geschrey der vngeparten Eulen!
Die Fenster stehn entseelt von jhrer Kertzen Schein
Der Schlaff spricht allen zu vnd wigt die Augen ein /   20
Nur meine Rache nicht! was seh' ich? Ists zu glauben?
Wie? Oder mag ein Traum mich der Vernunfft berauben?
[37] Daß man Olympens Thür bey hoher Mitternacht /
Eh' jemand klopfft so frey vnd sonder Sorg' auffmacht!
Wie? Ein verschleirtes Bild vnd zwar so gantz alleine   25
Nicht Diener! Fackel! Weib! vnd gleichwol nach dem Scheine
Nicht so geringer Art. Ich muß mich vnterstehn
Zu forschen wer sie sey / vnd auff sie zu zu gehn.
Holdseligste / wie ists / schaut man so schöne Sonnen
Bey trüber Mitternacht? Diane gibts gewonnen   30

Vnd deckt mit einer Wolck jhr schamroth Angesicht /
Die Sternen sind erblast ob jhrer Augen Licht.

O l y m p. Mein Herr verzeih' / ich weiß wie wahr so thanes
Schertzen /

C a r d e n. Wie? Glaubt sie / daß mein Wort nicht komm'
auß wahrem Hertzen!

O l y m p. Mein Herr siht Sonnen hier vnd gleichwol   35
seh' ich Nacht /

C a r d e n. Die Sonne siht sich nicht die alle sehend macht.

O l y m p. Mein trüber Schein bezeugt wie nah' ich Sonnen
gleiche!

C a r d e n. Vnd jhr Verstand thut dar daß jhr die Sonne
weiche.

O l y m p. Genung mein Herr ich geh! C a r d e n. Wohin
so spät? allein?

O l y m p. Die Tugend mit sich führt wird nicht alleine 40
seyn.

C a r d e n. Welch Vnfall zwinget sie bey Nacht sich so zu
wagen?

O l y m p. Kein Vnfall / Gunst vielmehr: Solt ich die
Warheit sagen.

C a r d e n. In Warheit grosse Gunst / wol dem / dem sie
geschieht /

O l y m p. Mir vnd Olympien! die mit mir auffgeblüht:

C a r d e n. Mich daucht ich sahe sie auß jhrem Hause 45
treten.

O l y m p. Sie hat den Abend mich zur Malzeit eingebeten.

C a r d e n. Vnd schlägt jhr Herberg' ab in dem so weiten
Hauß?

O l y m p. Mein Herr / wenn lieber kommt / denn hat wer
lieb' war auß:

C a r d e n. Wen mag bey tiffer Nacht Olympe noch erbeiten?

O l y m p. Ihr Eh-Schatz wird gewiß vor Morgen noch 50
einreiten.

---

33 so thanes = sothanes, Adj. so beschaffen, solch.
49 erbeiten = erwarten.

C a r d e n. Wie daß Olympe sie nicht heim begleiten ließ?

O l y m p. Mein Herr ich bin bekand vnd meines Wegs
gewiß.

[38] C a r d e n. Vnd gleichwol hab ich nicht die Ehre sie zu
kennen!

O l y m p. Vielleicht doch wol gehört offt meinen Namen
nennen.

C a r d e n. Sie gönne mir / daß ich sie den begleiten mag! 55

O l y m p. Gar wol: Doch mir ist Nacht so sicher als der Tag.

C a r d e n. Ich wolte diese Nacht dem Tage weit vorziehen

Wenn sie O schönstes Licht / nicht wolte von mir fliehen!

Wo lencken wir vns hin! nun sich die Gasse theilt

Mein Engel! wie so still! hab etwan ich gefeilt   60

Daß sie den süssen Mund durchauß vor mir wil schlissen!

Sie melde nur die Schuld ich wil den Frevel büssen

Sie sprech' ein Vrtheil auß; was mag der Vrsprung seyn!

Ist meine Gegenwart die Vrsach jhrer Pein?

Sie melde was sie kränckt / ich wil / wo es zu glauben /   65

Mich dieser süssen Lust nur jhr zur Lust berauben!

Holdseligste! kein Wort! sie räche sich an mir

Hier ist der scharffe Stahl! die blosse Brust ist hier.

Dafern ich was verwirckt das jhr so sehr entgegen!

Druckt sie ein ander Schmertz? Kan etwa mein Vermögen 70

Zu jhren Diensten seyn! kein Vnheil ist zu groß:

Sie gebe sich / vnd nur mit einem Seuffzer bloß!

Begleit ich sie zu fern? Sie wil kein Wort verlieren!

Ich kan nur mehr denn wol / O grause Schönste! spüren /

Daß ich / in dem ich jhr wil dienen / sie beschwer.   75

Ich geh denn / sie verzeih! mich trägt mein Weg die quer.

Auch fordert mich von hier ein nöthiger Geschäffte!

O l y m p. Brich Jammer-schwangres Hertz! brecht jhr
erstarrten Kräffte.

Brich meiner Lippen Schloß! wie? oder ists ein Wahn!

Hab ich in solcher Angst die beste Zeit verthan?   80

55 den = denn.

Ich / die du falscher Mensch nicht wilst / nicht kanst mehr
kennen!

Soll ich Cardenio dir meinen Nahmen nennen!
Erzitter vnd erschrick! Olympen hast du hir!
Die bey geheimer Nacht nur winselt über dir /
Weil sie den Tag nicht darff! hab ich mich raw gestellet   85
So offt du vnbedacht dich zu mir hast gesellet!
[39] Hieß ich dich hitzig gehn; diß fordert Ehr vnd Glimpff
Jagt dich ein ernstes Wort vnd ein falsch-zornig Schimpff?
Heist diß beständig seyn! auff ewig sich verschweren!
Bist du so meiner Gunst / so indenck meiner Zehren?   90
So indenck meiner Glut! daß auch der Namen nicht
Dir in die Sinnen kömmt: Ob schon dir im Gesicht'
Olympe lebend steht! ob die vor süssen Worte!
Schon streichen in dein Ohr! ob sie schon auß dem Orte
Hervor trit / den du mehr; mehr denn zu viel besucht!   95
Vnd fragst du wer sie sey! vnd machst dich auff die Flucht.
Indem sie vmb dich zagt! fragst du wohin ich eile?
Bey vngeheurer Nacht! warumb ich nicht verweile
In dem verhasten Bett'? Es ist nicht fern von hier
Ein Garten: Angenehm nicht wegen seiner Zier   100
Vnd Blumen-reicher Pracht vnd wolgesetzten Heyne.
Ach nein / ich liebe mehr alldar die rauen Steine:
Die man an dessen Seit auß tieffen Hölen bricht!
In welchen Echo sitzt vnd jeder Wort nachspricht /
Daß ich vor weinen offt verschluck vnd in mich fresse /   105
Ich / die / Cardenio, dein ewig nicht vergesse /
Dein! / dem Olympe Tod! mit welcher in dir starb /
Was vnvergleichlich Ehr' vnd Ansehn dir erwarb.
Dein / den die tolle Brunst verknüpfft hat mit Celinden:
Dem Fräulin sonder Zucht / dem Zunder ärgster   110
Sünden!
Dem Vrsprung deiner Noth! der Quälle meiner Pein /
Vnd die Cardenio, dein Vntergang wird seyn!

---

87 Glimpff = Ansehen, guter Ruf.
104 jeder = jedes, Form von jederes (vgl. V,239).

C a r d e n. O Schönste! daß sie mich erstarrend vor jhr
                              schauet /
Mich / welchem vor sich selbst vnd seiner Vnthat grauet /
Daß ich so lang' erstumm't; entsteht auß meiner Rew   115
Die keine Worte findt / Krafft welcher jhre Trew;
Die übertreue Trew / von mir recht außzustreichen!
Olympe! welche Glut wird jhrer Flamme gleichen!
Sie führe mich von hier! die dunckel Einsamkeit
Vorhin durch jhr Gewein / bethrenet vnd beschreyt /   120
Soll numehr Zeuge seyn (ich haß! ich flieh Celinden!)
Daß sie Olympe nur / nur mächtig mich zu binden!
[40] Ich wandel als entzuckt! mir ist ich weiß nicht wie:
Sie zeige mir den Ort in dem ich auff dem Knie
(Ihr O mein Licht) gesteh / mein überhäufft Verbrechen!   125
Sie selbst / Olympe sie / sie mag ein Vrtheil sprechen
Das strengste das sie weiß / sie glaube daß ich frey
Vnd hurtig vnd behertzt es auß zu führen sey.

Lysander, zwey Diener / vnd die wahre Olympia.

Entzäumt die Ross' vnd helfft sie vnterdessen führen /
Für vnsern Hinterhof / biß auff mein Wort die Thüren   130
Entschlossen / Storax folg vnd komm. S t o r a x. Mein
                              Herr ein Wort!
Wir reisen durch die Nacht! vnd könten an dem Ort /
Da wir den Abend spät zum füttern abgestiegen /
Wol biß auff morgen früh' ohn Eckel sicher liegen!
Was ists drey Stunden eh'r in seiner Wohnung seyn!   135
Was diese Nacht versäumt bracht vns die Frühe-Stund ein.
L y s a n d. Wer in drey Stunden kan sein eigen Hauß
                              erreichen /
Vnd lieber anderswo sich auffhält; gibt ein Zeichen
Daß er kein rechter Wirth / kein lieber Ehmann sey.
S t o r a x.   Jetzt wandeln wir zu Fuß da vns das reiten   140
                              frey!

L y s a n d. Was nützt die Nachbarschafft mit dem Geraß
erschrecken
Vnd durch ein wiegrend Roß bey stiller Ruh' entdecken
Daß ich von Hofe komm'? S t o r a x. Es liegt mir dar nicht
an /
Nur daß ein Vnglück vns so überfallen kan /
Das zu vermeyden stund / der Mann hat nicht gelogen: 145
Der vorgab daß die Nacht nicht jeden gleich gewogen.
L y s a n d. Wer kan dir Schaden thun vor deines Herren
Thür?
S t o r a x. Wie / wenn man schadete dem Herren neben mir?
L y s a n d. Erschreckter! fürchst du dich den Degen zu
entblössen?
S t o r a x. Zwey Klingen thun nicht viel / bey zehn /   150
bey zwantzig Stössen:
[41] L y s a n d. Ist die genaue Wach nicht hier / nicht dar
bestellt?
S t o r a x. Sie wacht dem nur zu trag / der auff den Sand
gefällt.
L y s a n d. Das Schwerdt der Oberkeit kan diese Schwerdter
dämpffen.

142 wiegrend = wiegernd, schles. für wiehernd.
143 Lesart von B für Vers 129–143:
Stracks mit den Rossen fort nach meinen Hinterthoren.
Du Storax komm mit mir. S t o r. Die Nacht ist fast verlohren.
L y s. Was schwetzt er von der Nacht. S t o r. Nichts! doch mein Herr /
ein Wort.
Wir eilten spät anheim / da wir doch an dem Ort /
Da zu dem Abendmal wir sämptlich abgestigen
Wol biß zu nahem Tag' ohn Eckel konten ligen.
Was ists drey Stunden eh in seiner Wohnung seyn?
Waß bringt die Finsternüß bey den Geschäfften ein?
L y s a n d. Wer binnen so vil Zeits kan eigen Hoff erreichen /
Vnd liber anderwerts sich auffhält / gibt ein Zeichen
Das er noch rechter Wirtt / noch liber Ehman sey.
S t o r a x. Itz wandeln wir zu Fuss'; und reiten stund' uns frey!
L y s a n d. Was noth daß man die Stadt durch dis Gekreisch erwecke.
Daß man Olympien durch vil Gerass erschrecke?
Vnd Gassen rege mach ... S t o r. Es ligt mir da nicht an.

S t o r a x.   Es wâr' jetzt fern von hier / dafern wir solten
kâmpffen.
Mein Herr / die grosse Stadt beherbergt manchen Geist /   155
Der sich auß Vbermut / auß Zanck / auß Argwon schmeist:
Der den verdeckten Haß durch Meuchelmord außführet /
Denckt ob jhr aller Freund. Was diesen Himmel zieret /
Vnd durch das dunckel glântzt; siht manche Thaten an:
Die auch im Mittag nicht die Sonn' entdecken kan!   160
L y s a n d.   Genung von dem! wir sind / (der Hôchste sey
gepreiset.)
Auff eigner Schwell' ey klopff! klopff an! K n e c h t. Er
ist verreiset!
S t o r a x.   Wer ist verreist? K n e c h t. Mein Herr.
              S t o r a x. Thue auff / er ist schon hier.
K n e c h t.   Wir gingen über Feld. S t o r a x. Wie Dorus?
Traumet dir?
L y s a n d.   Klopff an / er ist voll Schlafs. K n e c h t.   165
          Wer da? S t o r a x. Der Herr ist kommen!
D o r u s.   O wol! mein Herr! ich hatt' es vor nicht recht
vernommen!
L y s a n d.   Nun munter! ôffne bald! wie ists mit dir
bewand.
D o r u s.   Mein Herr / die Schlüssel sind in vnser Frauen
Hand.
Ich geh' vnd zeig es an! L y s a n d. O angenehm erwecken!
Wird jhr ein süsser Traum mein Ankunfft auch entdecken? 170
Mein einig Eigenthum / dein treues Hertze macht /
Daß ich der Fürsten Gunst vnd Hofes Zier veracht.

          Olympe durch die Fenster. Lysander.
                    Storax.

Wer dar! mein Hertz! L y s a n d. Mein Licht! O l y m p. O
Tausendmal willkommen!
Mein Trost / jetzt schließ ich auff. L y s a n d. Ist dir die
Furcht benommen!

[42] Nun wir versichert sind. S t o r a x. Wir stehn noch 175
vor der Thür.

Man fållt im Augenblick offt zwischen dar vnd hier /

L y s a n d. Du Blöder! du wirst nicht so leicht dein Leben
wagen.

S t o r a x. Leicht wagen / aber Herr euch auch die Warheit
sagen /

Vnd diß auß treuem Geist / mir ist die Seele feil

Mein Herr vor seinen Leib vnd seines Hauses Heil. 180

Olympia. Lysander.

O l y m p. Willkommen süsses Hertz! O hochgewünschte
Stunden!

L y s a n d. O liebreich Angesicht! O höchst gewünscht
gefunden.

Leid ist mir / daß ich sie gestört in jhrer Ruh.

O l y m p. Mir lieb! mir setzte Furcht vnd grauses Schrecken
zu /

In einem herben Traum! wie wol bin ich erwachet / 185

Sein Ankunfft hat mich Angst- vnd Sorgen-frey gemachet.

Mein Hertz folg ins Gemach! L y s a n d. Stracks! Wo mag
Dorus seyn?

Laß durch den Hinterhof die Ross' vnd Diener ein.

Du Storax schleuß das Thor! gib acht auff alle Sachen /

Die mit von Hofe bracht. S t o r a x. Ich werd es richtig 190
machen.

Mein Herr sey vnbesorgt. O l y m p. Last vns nicht långer
stehn!

Es ist die tieffste Nacht. L y s a n d. Wolan mein Licht / wir
gehn.

Cardenio. Das Gespenst in Gestalt
Olympiens.

Der Schaw-Platz verwandelt sich in einen
Lust-Garten.

Mein Trost! wir gehn so fern! vnd wechseln keine Worte!
Treugt mich das Auge nicht / so sind wir an dem Orte
Den sie bey stiller Nacht zu trauren jhr erwehlt!   195
Mein Engel! dessen Grimm mein reuend Hertze quält;
Ist jhr gerechter Zorn denn nicht zu vberbitten!
Ich hab / es ist nicht ohn / weit ausser Pflicht geschritten!
[43] Mehr auß verzweiffeln / denn aus Abgunst gegen jhr!
Sie Göttin! sie verzeih! die Seel' erstirbt in mir!   200
Wofern sie Schönste nicht hier wil den Haß ablegen /
Den meine Schuld entsteckt; sie lasse sich bewegen
Der heissen Threnen Fluß! der sanffte Westen-Wind /
Der durch die Sträucher rauscht beseuffzet vnd empfindt
Die vnaußsprechlich' Angst die meine Seele drücket /   205
Diane die bestürtzt vnd tunckel vns anblicket /
Bejammert meine Noth vnd bittet / wie es scheint /
Vor diesen / der für jhr auff seinen Knien weint:
Sie gönne mir doch nur jhr lieblich Angesichte /
Das Mond vnd Sternen trotzt! vnd mach in mir zu nichte 210
Durch einen süssen Kuß wo etwas allhier lebt
Das nicht Olympen lieb! die Nacht so vmb vns schwebt
Sey jhr statt einer Wolck der zart-gewirckten Seiden!
Mein Engel! ja sie wird von jhrem Diener leiden!
Daß er / dafern jhr Haß beständig zürnen wil /   215
Doch nur die Hüll abzieh' / vnd recht das blitzen fühl
So auß den Augen stralt – – – –

Der Schaw-Platz verändert sich plötzlich in eine ab-
scheuliche Einöde / Olympie selbst in ein Todten-Gerippe /
welches mit Pfeil vnd Bogen auff den Cardenio zielet.

C a r d e n.　　　　– – – O Himmel ich verschwinde!
O l y m p.　　Schaw an so blitzt mein Stral / dein Lohn / die
　　　　　　　　　　　Frucht der Sünde.

Tyche. Celinde. Cleon.

Der Schaw-Platz stellet einen Kirchhof mit
einer Kirchen vor.

T y c h e.　Der Mond ist zimlich hoch / der kalte Wandel-Stern
Läst sich Nord-Ostlich sehn / das Licht ist gleich so fern 220
Als vns der Abend steht; die muntern Geister lehren
Ein jhn verknüpffte Seel / in dem sie schnarchen hören
[44] Die jrrdisch sind gesinnt; biß sich der Vogel regt /
Der vnserm Thun ein Ziel durch seine Stimme legt.
Nunmehr ist keine Zeit / O Schönste zu verlieren /　　　225
Wo wir entschlossen sind das Werck recht außzuführen:
Sie suche denn das Pfand der vnerschöpfften Lust
Der jmmer-festen Trew in jhres Liebsten Brust /
Indem ich seine Seel in jenem Thal erweiche /
Daß sie vns willig sey zum darlehn jhrer Leiche!　　　230
Sie stell' jhr Sorgen ein: Vnd zage ferner nicht.
Vor alles Schrecken dien' jhr diß geweyhte Licht.
C e l i n d.　Ach soll ich dieser That allein mich vnterfangen.
T y c h e.　Vmb jmmer-feste Lust vnd Ruhe zu erlangen!
C e l i n d.　Allein / in diesem Ort: T y c h e. Steht Cleon 235
　　　　　　　　　　　nicht bey jhr!
C l e o n.　Steht jhr ein Vnglück vor so widerfahr es mir!
C e l i n d.　Allein den heil'gen Ort die Stunde zu betreten /
C l e o n.　Diß thu ich für vnd für; es sey daß ich zu beten
Gesetzte Zeichen geb' / es sey daß man bedacht
Zu fördern diß vnd das / worzu die stille Nacht 　　　240
Viel angenehmer scheint; C e l i n d. Diß Stück ist nie
　　　　　　　　　　　gewaget!

Tyche. Von dieser mehr denn offt / die sie vmb Rath
                                                    gefraget.
Celind. Die leider mehr denn ich auff solchen Fall
                                                    behertzt.
Tyche. Der Anfang fürchtet offt wormit das Ende
                                                    schertzt.
Cleon. Was fürchten wir vns doch! es ist ein eitel   245
                                                    schwåtzen;

Wormit man Einfalt sucht in Traum vnd Wahn zu setzen /
Meynt man daß sich ein Geist vmb Bein vnd Grab beweg /
Daß hier sich ein Gespenst / dort ein Gesichte reg /
Vnd Eifer vmb sein Asch'? Eröffnet nicht die Grüffte
Aegypten sonder Schew vnd bringt in freye Lüffte   250
Sein balsamirtes Fleisch das über See verschickt
Ein abgekråncktes Hertz im Sichbett' offt erquickt?
Entgliedern nicht die Aertzt' ohn Einred vnd Bedencken
Viel Córper die man wolt in jhre Ruh' einsencken /
Vmb andern dar zu thun woher die Seuch entsteh'?   255
Wo greifft die Kunst nicht hin! hat man der Menschen
                                                    Weh
Nicht offt durch Menschen-Blut / Fleisch / Glieder vnd
                                                    Gebeine
Vnd feistes Marck gestillt? Durch todter Nieren Steine
[45] Bricht der / der in vns wåchst! man gibt nichts neues an!
Doch sucht man hier bey Nacht / in dem der Tag nicht   260
                                                    kan
Bedecken derer Neid / die sich auff vns entzünden /
Weil wir zu aller Noth weit schneller Mittel finden
Als jhre Kunst vermag / die so manch weites Land
Vor mehr denn Menschlich hålt / Haß rührt auß Vnverstand.
Celind. Man kan ja jedes Bild mit schöner Farb   265
                                                    anstreichen.
Tyche. Ich geh' / jhr: Fördert euch; last nicht die Zeit
                                                    hin schleichen /
Die keinmal wieder kömmt. Celind. Es sey gewagt.
                                   Cleon. Die Thür /

Ist offen; was wir thun bleibt zwischen jhr vnd mir!
Sie folg’ ich wil die Grufft deß Ritters leicht entschlissen!
C e l i n d. Wohin verfällt ein Weib die so viel leiden 270
müssen.

Cardenio.

Ach! tödtlich Anblick! ach! abscheulichstes Gesicht!
Ach grausamstes Gespenst! vmbringt mich noch das Licht?
Wie! oder ist der Geist bereits der Last entbunden
Vnd hat die Frucht der Schuld / der Sünden Sold gefunden?
Wo bin ich! faul ich schon in einer finstern Grufft? 275
Trägt mich die Erden noch? Zieh’ ich noch frische Lufft
In die erschreckte Brust! ich schaw den Himmel zittern;
Ich schaw der Sternen Heer Blut-rothe Stralen schittern!
Wo bin ich! ists ein Traum / heischt mich der Richter vor?
Klingt seine Rechts-Posaun durch mein erschälltes Ohr? 280
Wie! oder geh ich wol durch dunckel grause Wege
So einsam / so allein / durch vngebähnte Stege /
Wo deß Gewissens Wurm stets die Verbrecher nagt:
Wo ein verdammter Geist / der von sich selbst verklagt /
Vnd durch sich überzeugt in ewig-neuem Schrecken 285
Sucht seine Missethat vergebens zu verstecken?
Ach Gott! der Götter Gott! geh ich noch in der Zeit?
Beschleust mich schon das Ziel der langen Ewigkeit?
[46] Ich fühle ja daß ich mit Gliedern noch vmbgeben!
Ists möglich: Daß ich kan nach solchem Anblick leben! 290
Doch ja! du grosser Gott du trägst mit mir Geduld
Vnd gönnst mir etwas Frist / die übermaste Schuld
In die ich mich verteufft dir weinend abzubitten:
Ich HErr / bin von der Bahn der Tugend abgeglitten:
Ich bins der in dem Koth der Laster sich gewühlt 295
Mehr viehisch als ein Vieh / der nimmermehr gefühlt
(Wie hart du angeklopfft) dein innerlich anschreyen /

---

278 schittern = schüttern (vgl. III,233).
280 erschälltes = erschüttertes, vom Schall getroffenes

Der mehr denn lebend tod / (ob schon du wilst befreyen)
Doch an der Sünden Joch / die schwere Ketten zeucht!
Der vor dir (Heil der Welt) in sein Verterben fleucht /   300
Mein Vater! ich kehr' vmb! ich knie vor diese Thüren
Vor dein geweyhtes Hauß. Was aber mag sich rühren?
Was poltern hör ich an! mir stehn die Haar empor!
Verfolgt mich diß Gespenst biß an die heilgen Thor!
Hat sich der gantze Styx die Nacht auff mich verbunden!   305
Hat sich Cocytus Heer in diese Stadt gefunden.
Mein Gott! ich muß von hier! halt inn! was gibst du an?
Halt inn Cardenio! ob auch ein Rauber kan
Sich an den sichern Ort bey stillem Dunckel wagen
Vnd an geweyhtes Gold die frechen Hände schlagen!   310
Was weiß ich; ob nicht Gott mich an den Tempel führ
Zu retten seine Kirch! wie fein: Daß ich verlier /
Gelegenheit das Schwerdt einmal vor Gott zu zucken:
Vnd Mördern auß der Faust den schweren Raub zu rucken /
Ist diß mein grosser Mut! ach nein. Die Kling ist frey   315
Der steh' / auff den ichs wag / dem guten Vorsatz bey.
Die Thüre wie ich fühl gibt nach vnd ist entschlossen!
Diß zeigt nichts redlichs an! die Riegel weggeschossen!
Gewiß sind Rauber hier! wie komm' ich auff die Spur;
Dort hängt von oben ab an Gold gewürckter Schnur   320
Ein köstlich hell-Cristall in dem die Flamme lebet
Die durch ein Tacht ernährt auff reinem Oele schwebet /
In reiches Silberwerck / vor Anstoß / eingesenckt.
Wie daß die Rauber nicht den schönen Schmuck gekränckt /
[47] Der sich doch selbst entdeckt? Was kan ich hierauß   325
                                                schlissen!
Es geh nun / wie es geh / so muß ichs dennoch wissen!
Warumb entzünd ich nicht die Kertze vom Altar
Bey dieser Ampel Glantz! vnd suche wo die Schar
Sich zu verbergen sucht! hier ist noch nichts entwendet;
Doch haben sie vielleicht das Stück nicht recht vollendet.   330

321   Lesart von B: hell Cristall.
322   Tacht = Dacht, Docht.

Was aber find ich hier! wie? Ein entseelte Leich
Gelehnt an diese Maur! von Fåule blaw vnd bleich!
Verstelltes Todten-Bild! weit eingekråmpffte Lippen!
Was sind wir arme doch! so bald man an den Klippen
Deß Todes scheitern muß / verschwindet die Gestalt   335
Die vorhin frische Haut wird vor dem Alter alt /
Vnd Stanck / vnd Staub / vnd nichts! was aber hier zu sagen!
Ob nicht der Côrper wol auß seiner Grufft getragen
Indem man Sårg erbricht! vnd mit erhitztem Mut
Durchstanckert Asch vnd Bein' vmb das verfluchte Gut.   340
Wer rennt der Thûren zu / so lang / so schwartz bekleidet?
Halt an! er ist dahin! der frembde Fall beneidet
Die nie erschreckte Faust! doch einer wird allein
Zu diesem Kirchen-Raub nicht außgerüstet seyn.

Vnd recht! dort stralt ein Licht auß dem entdeckten Grabe!   345
Wol daß ich in dem Nest das Wild ergriffen habe!
Was habt jhr Môrder vor. C e l i n d. Weh! weh! mir! ich
                    bin tod.
C a r d e n. O Gott was find ich! C e l i n d. Ach! ich sterb
                    in hôchster Noth.
C a r d e n. Ist diß Celinde; wil mich ein Gespenst erschrecken!
C e l i n d. Wil mich Cardenio auß dieser Grufft   350
                    erwecken!
C a r d e n. Celinde schaw ich sie! C e l i n d. Schickt jhn
                    der Himmel mir!
C a r d e n. Zu jhr in diese Grufft! C e l i n d. Mein Herr
                    ich sterb allhier!
C a r d e n. Ists môglich daß ich sie Celind' allhier soll
                    schauen!
C e l i n d. Er schau't mich hier verteufft in vnerhôrtes
                    Grauen.
C a r d e n. Wer fûhrt sie in ein Grab. C e l i n d.   355
                    Verzweiffeln Herr / vnd er!
C a r d e n. O grauses Wunderwerck! C e l i n d. Mir
                    leider viel zu schwer.

333 eingekråmpffte. Lesart von B: eingekrûmpffte.

[48] Wofern sein Haß auff mich noch wie vorhin erbittert;
So schaw er auff ein Hertz / das in der Angst erzittert
In die es sich gestürtzt / mein Herr / vmb jhn allein!
Vnd stosse seinen Stahl zu enden diese Pein   360
Durch die entblöste Brust: Dafern er mit mir armen
Mitleiden tragen mag / so woll' er sich erbarmen /
Vnd führe mich von hier! C a r d e n. Ists! oder ists ein Schein!
Soll sie Celinde denn in lauter Warheit seyn!
Nein; das Gespenst / das durch Olympen mich gefället; 365
Hat in Celinden sich den Augenblick verstellet /
Vnd läst wofern ich sie mit einer Hand berühr!
Ein schändlich Todten-Bild / gleich als vorhin / für mir.
C e l i n d.   Er rette wo er kan! er rette mich Betrübte!
Er rette dieses Hertz / das jhn so hertzlich liebte.   370
C a r d e n. Sie steige zu mir auff. C e l i n d. Es hält mich
                              etwas an!
Doch schaw ich nichts als jhn. Er reiche (wo er kan.)
Mir den behertzten Arm! O Gott! last vns von hinnen!
C a r d e n. Celinde möcht ein Mensch so frembden Fall
                              ersinnen!
Wie kommt sie an den Ort bey vngeheurer Nacht?   375
C e l i n d. Mein Herr / er forsche nicht! wenn ich von hier
                              gebracht
Wil ich mein Elend jhm ohn Vmbschweiff glatt außlegen
Mein Herr von hier! C a r d e n. Schaw ich den Todten sich
                              bewegen?
Er eilt dem Grabe zu; die Glieder zittern mir!
Die Schenckel sind erstarrt: C e l i n d. Mein Herr! mein 380
                              Hertz von hier.

Das Gespenst deß Ritters.

Deß Höchsten vnerforschliches Gerichte
Schreckt eure Schuld durch dieses Traur-Gesichte
Die jhr mehr tod denn ich! O selig ist der Geist
Dem eines Todten Grufft den Weg zum Leben weist.

　　　　Reyen.

Dennoch kan die letzte Macht　　　385
Die vns sterben heisset /
Vnd ins Grabes lange Nacht /
Von der Erden reisset:
Dennoch kan sie über dich
Mensch nicht gantz gebitten /　　　390
Weil der Geist von jhrem Stich
Wird vmbsonst bestritten.

Zwar der Leichnam gehet ein
Hertz vnd Augen brechen
Wenn sich in der letzten Pein　　　395
Arm' vnd Glieder schwächen /
Das geliebte Fleisch verfällt
Wie bey heisser Sonnen
Sich ein Bild von Wachs verstellt /
Biß es gantz zerronnen.　　　400

Bringt Aspaltens Hartz hervor
Balsam / Nard' vnd Myrrhen.
Was Socotor' je erkor /
Was die / so stets jrren
Vmb Sarunbun lasen auff /　　　405
Bringet Specereyen /
Die Molucc je gab zu kauff /
Hier wird nichts gedeyen.

Was du an dir trägst ist Staub /
Es kam von der Erden.　　　410

402 Nard' = Narde, der aus der Pflanze nardus bereitete Balsam.
403 Socotor' = die Insel Sokotra, Heimat der Aloe. Eine ausführliche
Erläuterung gibt Gryphius in der Anmerkung zu *Papinian* III,81: Soco-
triner Safft. Ist Aloe welches in der Insel Zocotera unter dem XIII.
gradu latitud. Boreae sehr köstlich fällt / und dannenher Aloe Zocotrina
genennet wird.
405 Sarunbun = eine große Seidenkolonie in Transkaukasien.

Vnd muß durch der Jahre Raub
Staub vnd Erden werden.
Was verwahrt die raue Grufft
Vnter jhrem Steine /
Der auch stumm / von sterben rufft /   415
Als verdorrt Gebeine?

[50]   Aber vnser bestes Theil
Weiß nichts von verwesen /
Es bleibt in den Schmertzen Heil /
Sterben heist's genesen /   420
Es ergetzt sich ob dem Licht /
Das es vor nicht kante
Als es in deß Leibes Pflicht
Zeit vnd Welt verbante.

Doch / dafern es nicht verkehrt   425
Mit deß Fleisches Wercken;
Die deß höchsten Richters Schwerdt
Heist zur Straff auffmercken.
O wie selig ist die Seel
Die von Leib vnd Sünden   430
Loß / nach jhres Kerckers Höl
Kan die Freyheit finden.

Sie weiß nichts von Ach vnd Leid
Das die Menschen quälet /
Weil sie in der Ewigkeit   435
Ihre Ruh' erwehlet /
Doch wird keine für vnd für
Dieser Lust genissen /
Die nicht einig lernt in dir
HErr den Lauff beschlissen.   440

Die Fůnffte Abhandelung.

So ists! er ließ mich hoch vnd überhoch belangen /
Ich wolte dieser Můh bey euch mich vnterfangen
Ja melden / als es mich daucht vnbequem vnd schwer
Daß sein vnd euer Heil hieran gelegen wår.
O l y m p. Mein Hertz / es steht bey jhm! sein bitten   5
                  abzuschlagen
Es steht jhm gleichsfalls frey ob er den Gang wil wagen /
[51] Doch / bitt ich / nicht allein! mich lass' er vnbeschickt
Die nichts mit jhm zu thun. Die keusche Tugend blickt
Nie in ein frembdes Hauß! vnd / mag ichs důrr außsagen:
Was hat Cardenio nach mir vnd jhm zu fragen!   10
Man weiß es leider wol / worein er mich gefůhrt /
Lysander hat von jhm nie keine Gunst verspůrt.
Warumb begehrt er denn von vns ersucht zu werden?
Ists solche Wichtigkeit! wir stehn auff einer Erden /
Der Weg in vnserm Hof ist jedem vnverschrenckt /   15
Er komm vnd find vns selbst / ist etwas das vns krånckt
Darvor er Mittel weiß / so wil es vns obliegen /
Zu forschen wo er sey / vnd sich vor jhm zu schmiegen /
Hier blickt das Gegentheil. Drumb wůntscht ich (mǒcht es
                  seyn!)
Man stellt' auff meinen Rath / nur diß besuchen ein.   20
L y s a n d. Wahr ists / Cardenio ist nie mein Freund
                  gewesen!
Weil ich durch seine Pein in meiner Angst genesen.
Diß aber reitzt mich / daß ich jhm entgegen geh /
Vnd jetzt zu Willen sey! denn (wo ich recht versteh)
Muß freylich dieses Werck was wichtigs auff sich haben /   25
Daß er / der nie gewohnt / was sånffter her zu traben
So embsig nach vns hofft. Er sprech vns selber zu /
Diß wend sie ein / mein Hertz / wer weiß warumb ers thu.

Daß er vns mehr bey sich / als sich bey vns wil wissen?
Vielleicht sucht er das Werck geheimer einzuschlissen /   30
Als vnser Hof verträgt / indem so mancher acht
Auff diß was seltsam gibt / ein munter Auge wacht
Vmb alle Heimligkeit auffs beste zu verdecken!
O l y m p. Wer etwas guts beginnt / sucht nicht sich zu
verstecken.
Ich kenne sein Gemüt / das Haß vnd Eifer treibt /   35
Wer diese Råth' anhört / vergist sein selbst vnd schreibt /
Mit lauter Menschen-Blut sein jmmer-new Verbrechen!
Wer weiß an wem er sich gesonnen sey zu rechen!
Indem er gleich von hier; wie du mir Zeitung bracht
Mein Bruder / reisen wil / vnd noch vor dieser Nacht.   40
[52] V i r e n. Niemand wird wer er sey / dir Schwester /
besser sagen /
Als der / der seine Wund / auff dieser Brust getragen /
Als er mich bey der Nacht genöthigt überfiel /
Diß glaube / daß ich jhn nicht viel außstreichen wil /
Noch weniger bedacht sein nicht gelobtes Leben /   45
Durch vngegründten Ruhm vor beyden zu erheben!
Er sey nun wer er sey; ich traw jhm gar nicht zu
Daß er was arges spinn; was weiß ich oder du /
Ob dieser Gang nicht kan zu aller Nutz gedeyen;
O l y m p. Ob nicht zu aller Angst! es wolle der   50
verleyen /
Der in die Seelen siht / daß mein Wahn eitel sey.
L y s a n d. Mein Hertz / sie fürchte nicht / jhr Bruder steht
mir bey!
V i r e n. Traw Schwester / es ist hier was sonders
angelegen /
Drumb halt vns nicht mehr auff / vnd laß dich selbst
bewegen
Zu gehn wohin man dich so embsig hat ersucht!   55
O l y m p. Ich Bruder bin bereit; wiewol es sonder Frucht!

31 Lies: acht . . . gibt.

Kein Vorwitz führt mich mit! wo hier Gefahr verborgen /
Entbrenne sie auff mich; wo wir vergebens sorgen;
So zeige meine Pflicht / daß die sich recht bedacht
Die weniger sich selbst / den Mann vnd Bruder acht.   60

Pamphilius. Virenus. Celinde. Cardenio.
Olympie. Lysander.

C a r d e n. Mein Freund Viren' ich bleib' auff ewig dir
                                         verbunden /
Daß du auff diesen Tag Gelegenheit gefunden /
Mir diß geliebte Paar zu stellen vor Gesicht;
Lysander glaub es fest / daß er auff Erden nicht
Könt jemand werther Gunst als mir die Stund erzeigen!   65
Sie / Himmel-werthe Fraw / die Tugend gantz zu eigen /
Vnd Zucht zu Willen hat / die ich zum ersten mal
Mit reinem Aug' anschaw / nachdem die tolle Qual
Die mich so lange Zeit vnsinnig hat gerissen /
Wie! leider! vnd wohin! die Nacht sich enden müssen.   70
[53] Sie decke nicht vor mir jhr herrlichs Angesicht!
Diß ist mein letzter Wuntsch. Lysander eifre nicht.
Ich bin Cardenio! nicht der ich bin gewesen
Mehr toll als tolle sind! nein! nein! ich bin genesen!
Von Hoffen / Wahn vnd Pein / vnd was man Liebe nennt   75
Der Höllen heisse Glut die in dem Hertzen brennt /
Vnd vns ans Rasen bringt. Was hab ich nicht begangen?
Als diese Seelen-Gifft den blinden Geist gefangen!
Welch' Vnthat hab ich nicht biß auff die letzte Nacht
So manches schöne Jahr (ich Thörichter!) verbracht.   80
Ich war! ich wil numehr nur meine Schuld bekennen!
Lysander mit dem Stahl sein Hertze zu durchrennen
Gewaffnet vnd bereit! die Faust schwur (höchster Gott
Verzeih dem frechen Trotz!) Lysander seinen Tod.
Olympe dieses Licht ziehlt auff Lysanders Leichen!   85

60   den = denn.

Vnd siht mich selbst vor jhr voll heisser Rew' erbleichen!
Was schafft ich nicht vorhin Olympen Angst vnd Müh'
Jetzt fall' ich vor sie beyd auff mein gebeugtes Knie /
Lysander zage nicht! hier liegt mein mordlich Eisen!
Er stoß es durch mich selbst / ich wil jhm Gänge weisen   90
Durch mein betrübtes Hertz': Ist mein Gewehr zu schlecht;
Er zucke seinen Stahl vnd schaff jhm selber Recht.
Ich wil den Tod von jhm / mein ein vnd hoch Verlangen /
Vor meine Missethat als ein Geschenck empfangen.
O l y m p. O Himmel! was ist diß! was Schwermut   95
                greifft jhn an!
L y s a n d. Cardenio mein Herr! wofern ich bitten kan
Er knie nicht vor vns / ich werd' vnd kan nicht rächen
Was niemal mich verletzt! C a r d e n. Lysander mein
                Verbrechen
Heischt diß befleckte Blut. L y s a n d. Mein Herr / auff
                von der Erd
Wofern man rechnen soll so bin ich straffens werth   100
Der jhm vor diesem wol mehr als den Geist verletzet.
Zog er die Kling auff mich; so hab ich sie gewetzet!
[54] Ich bitt jhm meine Faust vnd liefer jhm mein Hertz.
O l y m p. Cardenio wofern diß ein benebelt Schertz /
So spielt er nur zu viel mit Leuten von Gewissen!   105
Ists denn ein rechter Ernst; warumb vor vnsern Füssen /
So Wahnmuts voll gekniet! ich bitte kan es seyn /
Er stelle gegen vns sein langes schwermen ein.
Vnd poche nicht vmbsonst auff sein verwähntes Eisen!
Wird seine Seel' jhm nicht manch schrecklich Beyspiel   110
                weisen /
Daß Vbermut gestürtzt: So denck' er / daß es früh /
Vnd man nicht wissen mag wie auch die Nacht auffzieh.
C a r d e n. Ach über-reine Seel! ach sind denn meine Zehren /
Nicht Zeugen ernster Rew; vnd muß ich sie beschweren /
Indem mein zagend Geist von jhr Vergebung sucht.   115

91 Gewehr = Waffe im weitesten Sinne.
103 bitt = biet.

O l y m p. Mein Herr er suche nichts / als vnbefleckte Zucht!
Kans aber möglich seyn / daß er sich selbst gefunden!
Er / der vorhin vor jhm vnd allem Ruhm verschwunden!
Wie gehts doch jmmer zu? C a r d e n. Fürwahr ich weiß
                         nicht wie!
Diß fühl ich; daß die Nacht / auß der verfluchten Müh / 120
Deß Allerhöchsten Faust mich kräfftig hat gerissen
Durch Mittel / darvor ich vnd alle zittern müssen!
Doch mich alleine nicht! Celinde neben mir
Entbrant in keuscher Glut voll heiliger Begier /
Denckt auff ein höher Werck! L y s a n d. Wie / ist er   125
                 mit Celinden
Durch festen Schluß der Eh' gesonnen sich zu binden?
C a r d e n. Ach nein! der Wahn ist falsch! Celinden Lieb' ist
                 tod.
Celinde liebt mit mir nichts als den höchsten Gott.
O l y m p. Ich hör auß seinem Mund jetzt lauter Wunder-
                 Wercke;
Ich bitt' / er zeig' vns doch welch eine frembde Stärcke / 130
So mächtig über jhm? C a r d e n. Wolan / ich bin bereit /
Ob zwar der frembde Fall / nicht sonder Bitterkeit /
Nicht sonder Grauen kan von der gehöret werden /
Der ich / so lang ich leb' auff diesem Kreiß der Erden
Hierdurch verpflichtet bin! die dunckel-braune Nacht   135
Hatt' in den Mittel-Punct deß Himmels sich gemacht /
[55] Diane stieg hervor mit halb-verwandten Wangen /
Als ich entbrand von Haß / gantz einsam / außgegangen
Lysander, seinen Tod zu fördern durch diß Schwerdt /
Ich wust' es wo er schon vor Abends eingekehrt /   140
Ich wust' es daß er noch würd' (ob wol spät) ankommen.
Indem ich mir den Schluß zu fördern fürgenommen /
Vnd halt vmb seinen Hof; seh' ich die Thür auffgehn!
Ich schaw ein Frauen-Bild vmbschleiret vor mir stehn!
O l y m p. Cardenio so ists / schwermütige Gedancken /   145
Benebeln die Vernunfft / die ausser allen Schrancken
Auff solche Träume fällt! C a r d e n. Man höre mich recht an!

Ich ward Olympie, mehr als sie glauben kan /
Verwirret vnd bestürtzt; als der sie gantz nicht kennte
Biß auff mein Wort sie sich mit eignem Nahmen nennte. 150
Zwar wand sie erstlich ein; daß sie die halbe Nacht
Bey jhr Olympie am Tische zugebracht!
O l y m p. Bey mir! die gestern / Herr! kein frembdes Weib
                                geschauet!
C a r d e n. Geduld! ich der hierauff ohn Argwohn fest
                                gebauet;
Bot mein Geleit jhr an! daß / nun ichs recht betracht;   155
Nicht hoch! (doch nur zum Schein) noch noth von jhr geacht!
Drauff kůst ich jhre Faust / vnd ging an jhre Seiten;
Sie / ob / sie zwar sich ließ die gantze Gaß ableiten;
Gab auff mein Reden doch kein einig' Antwort mehr /
Wie hefftig ich auch bat: Biß Eifer / Rach / vnd Ehr /   160
Vor jhr / zu Hertzen ging / was? Solt ich diese führen
Die mir den Mund nicht gönn't / vnd dort die Zeit verliren /
Die nicht mehr wieder kömmt: Die Stunde rennt zu sehr /
Die Nacht so jetzt vergeht / gewinn' ich nimmermehr.
So schloß ich; vnd entschloß sie plötzlich zu gesegnen   165
Die aber / mehr bereit als vor mir zu begegnen
Fuhr recht entrüstet auß; klagt über meine Trew;
Schalt meinen Wanckelmut; vnd sprach ohn eine Schew /
Daß sie Olympe selbst / die mich so hertzlich liebte
Die nun von mir veracht / auß Eifer sich betrübte.   170
[56] Warff mir Celinden vor / bestund auff diesem Wort /
Daß sie bey stiller Nacht in einem wůsten Ort
Gewohnet über mir viel Threnen zu vergissen /
O l y m p. Gott / aller Götter Gott! wofern mein rein
                                Gewissen
Mich nicht vnschuldig macht / so sey mein gantzes Hauß 175
Mir Zeuge! was noch mehr: Lysander sag es auß /
Wenn / wo vnd wie er mich noch diese Nacht gefunden!
C a r d e n. Olympe sie verzeih / wo sie / wie meine Wunden
Von Grund auß sind verheilt / vmbständlich wissen wil
So muß sie in was Noth mein sicher Geist verfiel   180

Erkennen von mir selbst! ich über mein verhoffen /
Starrt eine lange Zeit / von diesem Blitz getroffen /
Biß ich mich vnterwand zu lindern jhren Grimm
Doch / wie es schien / vmbsonst. Sie schloß die süsse Stimm /
Vnd eilte neben mir durch nicht bekante Stege   185
In ein sehr fest vmbzäunt vnd lustiges Gehege /
Voll Blumen / voll Cypreß / vnd was das Aug ergetzt /
Da hat die Schönste sich auff einen Fels gesetzt /
Vnd ich mich neben sie / doch schwieg sie was ich klagte /
Gleich einem Marmel-Bild / mein brennend Hertz   190
        verzagte
Weil sie die Lippen schloß. Lieb / Einsamkeit vnd Nacht
Bestritten mich so fern / biß ich schier sonder Macht
Vnd zitternd mich erkühnt jhr Antlitz zu entdecken /
Da sah' ich! vnd erstarrt in vngeheurem Schrecken /
Da sah' ich! vnd erblast! da sah' ich keine Zier!   195
Da sah' ich! vnd verging / Olympen nicht vor mir!
Ich sah' ein Todten-Bild! ohn Aug / ohn Lipp vnd Wangen /
Ohn Adern / Haut vnd Fleisch / gehärt mit grünen Schlangen /
Daß / eh' ich mich versan die Kleidung von sich riß
Vnd Sehn vnd Pfeil ergrieff / als mich der Geist verließ /   200
Vnd grimmig auff mich zielt / als ich in Schwindel stürtzte
Vnd Ohnmacht mir zugleich so Furcht als Athem kürtzte /
So fällt ein Rittersmann / der vor dem Feinde steht /
Wenn jhm das heisse Bley durch Brust vnd Rücken geht /
[57] L y s a n d. Ich wartet als entzuckt / wie sich das Spiel   205
Nun spür' ich daß Gott selbst den Vnfall wollen wenden /
Der mich doch oder jhn durch / wo nicht beyder Tod /
Doch eines Vntergang / hätt' in gewisse Noth /
Geführt eh' ichs gefürcht. O l y m p. Was soll mein Hertz
        vermutten?
Ziehlt diß auff meine Schmach / geschicht es mir zum   210
        gutten!
Soll ich zu eigner Schand' vnd eines andern Pein /
Hör an gerechter Gott! der Geister masque sein.

C a r d e n. Nachdem sich mein Geblůt anfangen zu bewegen;
Vnd ich gleich als erweckt die Glieder konte regen /
Befand ich mich allein auff einem rauen Feld /   215
Das durch gehäufften Grauß vnd Hecken gantz verstellt.
Ich eilte zitternd weg / als einer / der der Drachen
Vergifftet Nest entdeckt / vnd der dem heissen Rachen
Der Lőwen kaum entkőmmt / doch find ich fůr vnd fůr /
Vnd spůr / ob ichs nicht seh' das Traur-Gespenst vor   220
                              mir /
Diß zwingt mich; kommt mir ein wie rasend es sich wittert /
Wie es den Bogen spannt / wie es den Pfeil erschittert /
Zu dencken wer ich sey! auff welcher Bahn ich steh /
Wie alle Pracht der Welt in Eitelkeit vergeh!
Wie schnell ich dieses Fleisch der Erden soll vertrauen /   225
Vnd den gerechten Thron deß hőchsten Richters schauen /
Der schon mein Lebens-Buch durchsiht vnd überschlägt /
Vnd das geringste Wort auff schnelle Wage legt.
Wie werd ich vor jhm stehn / ich der voll toller Lůste /
Nach keuscher Ehre steh' / der mich erhitzt entrůste /   230
Auff ein nicht schuldig Blut / mit so viel Blut befleckt
Mit Lastern Scheitel ab / biß auff den Fuß bedeckt.
V i r e n. Ach ja! der Donner schreckt vnd weckt ein kranck
                              Gewissen.
C a r d e n. Noch hab ich auff den Schlag was mehr
                              empfinden müssen;
Ich jrr'te sonder Rath / mir war kein Weg bekand /   235
Biß ich mich vnverhofft vor einer Kirchen fand /
[58] Da sanck ich auff die Knie / vnd schwur dem wůsten
                              Leben
Auff ewig gute Nacht / von diesem nun / zu geben /
Es floß auff jeder Wort der Threnen milde Bach
Biß ein Gepolter mir die Red' vnd Andacht brach.   240
Erschreckte fürchten leicht. Was kont ich anders dencken
Als daß ein new Gespenst erschienen mich zu kräncken /

216 Grauß = Steinschutt, Geröll.

Vnd gab mich auff die Flucht / doch fiel mir endlich ein /
Es könten Rauber wol daselbst in Arbeit seyn.
Ich glaubte was ich wähnt / vnd schloß mit steiffer   245
                Klingen
Den Frev'lern auff der That / die Beuten abzudringen!
Was mich noch mehr verstärckt / war das deß Tempels Thür
Gantz Schloß- vnd Riegel-frey / die redliche Begier
Zwang mich ins Heiligthum / in welchem keine Zeichen
Von einem Kirchen-Raub. Doch fand ich eine Leichen /   250
Am Pfeiler angelehnt halb von der Grufft verzehrt /
Mit diesem läufft ein Mensch den ich mit Kertz vnd Schwerdt
Wiewol vmbsonst verfolgt / auß den geweyhten Schrancken!
Diß eben brachte mich auff vorige Gedancken /
Daß eine freche Schaar sich dar vmb Raub versteckt /   255
Biß mir ein stralend Licht ein offen Grab entdeckt
Als ich nach diesem gieng / in Meinung / sie zu finden!
Traff ich in dieser Höl (O frembder Fall!) Celinden,
Die mich (den neue Furcht vnd grösser Angst betrat)
Mit schier erstarrter Stimm vmb Lebens Rettung bat.   260
Ich starrt vnd zweiffelt / ob der Himmel mein
                Verbrechen
Durch solche Traur-Gespenst entschlossen sey zu rächen /
Ja gläubte wenn ich sie mit einer Hand berührt /
Das gleich Olympens Bild / das mich zuvor verführt;
Sie in ein schrecklich Aaß sich würde stracks verkehren   265
Doch must ich endlich jhr / was sie begehrt gewehren.
Ich halff jhr auß der Grufft / in die der Leichnam eilt
Der an dem Pfeiler sich / wie schon erwehnt / verweilt.
Wir rennten auß der Kirch vnd wie durch gleiche Wunden
Vor beyder Hertz verletzt / so sind wir gleich   270
                verbunden!
[59] Sie lescht mit Threnen auß der tollen Liebe Glut
Ich flieh was flüchtig ist / vnd such ein höher Gut.
O l y m p. Hat jemand weil der Baw der rundten Welt
                gegründet /

255   dar = da, dort.

Weil Gott das grosse Licht der Sonnen angezündet
Dergleichen Stück erhört! welch vngeheure Macht /   275
Hat in ein Todten-Grab Celinden lebend bracht!
C e l i n d. Das euch / Cardenio, sein Vnrecht zu bekennen
Gantz kein Bedencken trägt; möcht jemand Wahnwitz
                                    nennen
Ich fühl in mir / daß der noch wol zu retten sey /
Der seine Seuch entdeckt. Man wird von Sünden frey   280
Wenn man die Sünden nicht entschuldigt / schmückt vnd
                                    färbet /
Ich bins Olympie die auff den Tod verterbet /
Die / wie sie selber weiß / nie nach dem Schmuck getracht /
Der keuscher Frauen Geist vor allen herrlich macht.
Zwar hat die erste Zucht gar viel bey mir versehen /   285
Doch meine Jugend ließ selbst jhre Blum abwehen /
Als mich der Westen Wind der Geilheit überfiel
Bald riß ich weiter auß vnd überschrit das Ziel
Der vorhin schweren Schuld / vnd ward durch den gefangen /
Der jhr Olympie so hefftig nachgegangen.   290
Cardenio als er an der verzweiffeln must
Der Ihre Treu zu werth / ergetzte meine Lust.
Doch leider kurtze Zeit: So wenn die Rosen liegen
Auff die die Sonne fällt / siht man die Bienen fliegen
Die vor der Honig-Thaw' auff jedem Blat erquickt!   295
Ich / die weit mehr durch jhn / als er durch mich verstrickt /
Verging durch seine Kält / vnd als er mich verlassen /
Begont ich Sonn' vnd Tag vnd Leben selbst zu hassen /
Ich sucht / vnd nur vmbsonst / durch alles seine Gunst
Biß mir Verschmachtenden / die tolle Zauber-Kunst   300
Versprach ein Feur in jhm / das ewig / zu entzünden /
Wofern ich könt ein Hertz auß einer Leichen finden /
Daß ich / weil sie der Zeit auff dieser Welt genäß /
Durch vnverfälschte Gunst biß auff den Tod besäß /
[60] Was solt ich arme thun? Die Noth hat mich   305
                                    gezwungen /
Vnd in Marcellens Grufft bey stiller Nacht gedrungen /

Die Cleon den mehr Geitz als mich die Liebe quält
Mir mit der Kirch entschloß / als er mein Gold gezehlt.
Er halff Marcellens Sarg mir in geheim entdecken
Da ich die Leich erblickt: Erzittert ich vor Schrecken. 310
Wo war der Stirnen Glantz / wohin der Augen Paar?
Wohin Marcellus selbst? Was läst vns doch die Baar
Als ein verstelltes Aaß / das blauer Schimmel decket
Das eine braune Fäul ansteckt vnd gantz beflecket /
Vnd ob ich zwar bestürtzt; erkühnt ich doch die Händ / 315
Zu öffnen seine Brust / als ich die Leinwand trennt /
In die sein Leib verhüllt (O grause grimme Sachen!)
Begönt er auß dem Schlaf deß Todes zu erwachen /
Er zuckt vnd richte sich von seinem Läger auff /
Vnd sprach: (weil Cleon mir entsprang in vollem Lauff) 320
   Ha! grausamste / was führt dich her zu mir?
   Ists nicht genung daß vmb dich vnd vor dir /
   Ich diese Stich in meine Brust empfangen /
   Durch die mir Blut vnd Seel ist außgegangen?
   Erbrichst du noch die stille Todten-Klufft 325
   Vnd wilst diß Hertz? Kan denn die heilge Grufft
   Nicht sicher seyn / vnd ich in der nicht rasten
   Must du mich hier / auch nun ich hin / antasten.
So sprach er: Vnd erhub sich auß dem Staub der Erden;
Ich sanck auff seinen Sarg. Was noch erzehlt kan werden 330
Hat schon Cardenio vor mir euch dar gethan.
Der seiner Faust entging durch vnbekante Bahn /
Ist Cleon Zweiffels ohn / vnd die erblaste Leichen /
Die an dem Pfeiler stund war meines Lasters Zeichen /
Es war deß Ritters Leib / an den ich mich gewagt / 335
Den meine freche That auß seiner Grufft verjagt.
Hab ich nun / was vorhin ich suchte / nicht gefunden;
So bin ich doch der Angst vnd aller Band' entbunden.
[61] Veracht Cardenio mein vor geliebt Gesicht:
Ich / die das Grab erkühlt / fühl auch sein Feuer nicht / 340

309 entdecken = aufdecken, öffnen.

Kont ich jhn nicht vorhin zu meiner Liebe zwingen /
Jetzt kan die Liebe nicht Celinden mehr bespringen.
Zeigt jhre Fackel mir hoch angenehmen Schein;
Deß Todes Fackel zeigt das Ende meiner Pein.
Marcell dein blasser Mund / dein rauh' vnd heischer   345
                        Stimme
Läst nun vnd ewig nicht / daß hier ein Funck entglimme /
Von dem verfluchten Brand / den du in mir ersteckt
Als dein entseelter Mund mich Thörichte geschreckt /
Ade verfälschte Lust! Ade nicht reine Flammen!
Ihr Vorbild höllscher Glut! Celinde wil verdammen /   350
Was jhr Verdammen würckt! Celinde wil allein
Von dieser Stund an Gott ein reines Opffer seyn!
Weg Perlen! weg Rubin / vnd Indiansche Steine!
Die Threnen darmit ich mein Vbelthat beweine;
Siht der vor Perlen an / dem ich befleckte Fraw   355
Zu einer Magd mich selbst auff ewig anvertraw.
Ade Cardenio, den ich von Gott gezogen!
Cardenio, den ich vmb Ehr vnd Ruhm betrogen!
Cardenio, den ich vmb alles / was geacht /
Vmb Redligkeit vnd Trew vnd rein Gewissen bracht /   360
Ade Cardenio! durch den ich bin entgangen
Als meiner Straffen Heer mich diese Nacht vmbfangen!
Ade Cardenio! mein Hertze bricht entzwey
Vor Wehmut / noch ein Wort; Cardenio verzeih!
C a r d e n. Celind' ich bin durch mich / vnd nicht durch 365
                        sie verführet!
Dafern sie meinen Gang als auff der Jagt verspüret;
Rieth mir doch mein Verstand den Netzen zu entgehn /
In die ich willig lieff; gläntzt jhr Gesichte schön /
Das mich bezaubert hat; so hieß doch mein Gewissen
Vor diesen Sonnen mich die blöden Augen schlissen /   370
Strit lieblichste Syren jhr artiger Gesang
Mit jhrem Harffen-Spiel / mit jhrer Lauten Klang;

---

347 ersteckt = erstickt hast (trans. von ersticken).

[62] Mir stund mit jenem frey die Ohren zu verstopffen /
Geliebt jhr an mein Hertz so lieblich anzuklopffen?
Ich ließ sie selber ein! der Mensch fållt nur durch sich. 375
Sucht sie Verzeihung hier! ich selbst verklage mich.
Ich / der in Lust entbrand jhr' Uppigkeit gepriesen
Ich / der sie mehr vnd mehr zu Lastern angewiesen;
Ich / der jhr selbst vertrat der keuschen Tugend Bahn!
Ach was ich nicht gewehrt / das hab ich selbst gethan! 380
Hat mir Olympie, die ich vmbsonst bekrieget /
Nach starcker Gegen-wehr so herrlich obgesieget;
Kont ich Celinden denn nicht vnter Augen gehn
Vnd vnverletzt dem Pfeil der Liebe widerstehn?
O Wunder dieser Zeit / die ich allein erhebe 385
Vnd vorhin stets verfolgt / Olympe sie vergebe /
Dem der vor ausser sich / sie / vnd sich selbst verkennt
Der als ein toller Lôw / jhr keusches Lamb / nachrennt.
Ich war jhr grimmster Feind; als mich bedaucht ich
                    liebte /
Sie Schônste liebte mich / mich dunckte sie betrûbte: 390
Jetzt lob ich jhre Zucht vnd vnvergleichlich Ehr!
Vor diesem war ich blind vnd raast je mehr vnd mehr
Nach eignem Vntergang. Ich bin durch sie gestiegen /
Vnd schaw Cupido dich vor meinen Fûssen liegen /
Der Kôcher ist entleert / der Bogen Sehnen-frey / 395
Deß Todes strenge Faust bricht seine Pfeil entzwey /
Die Fackeln leschen auß von meinen steten Zehren /
Vor hast du mich verletzt / jetzt kan ich dich entwehren /
Vnd mangelt mir noch was zu dåmpffen deine Pein;
So soll Olympens Sieg deß meinen Richtschnur seyn. 400
O l y m p. An mir Cardenio wird man nichts preisen kônnen /
Ich preise mehr / was jhm der Hôchste wollen gônnen!
Was bißher je von jhm / zu wider mir geschehn /
Rûhrt daher / daß er mich nicht selbst hat angesehn /
Ihn hat mein nichtig Fleisch / der falsche Schnee der 405
                               Wangen

397 Zehren = Zähren.

Vnd deß Gesichtes Larv / vnd dieser Schmuck gefangen
[63] Den mir die Zeit abnimmt / nun hat die wahre Nacht
Mein Antlitz recht entdeckt. Herr! dieser Liljen Pracht /
Deß Halses Elffenbein sind nur geborgte Sachen
Wenn das gesteckte Ziel mit mir wird ende machen;   410
Vnd mein beklagter Leib / den er so werth geschätzt
Nun zu der langen Ruh' in seine Grufft versetzt /
Vnd Cynthie dreymal mit vollem Angesichte
Vnd wieder noch dreymal mit new entstecktem Lichte
(Nicht länger Bitt ich Frist /) der Hörner Flamm erhöht;   415
(Wie nichts ist! was an vns so kurtze Zeit besteht)
Denn such' er meinen Rest! was jhm der Sarg wird zeigen
In den man mich verschloß / das schätz er vor mein eigen /
Das ander war entlehnt! C e l i n d. O wol vnd mehr denn
                                                    wol!
Dem / der so fern sich kennt; weil er noch leben soll /   420
Nicht / wenn der Tod schon rufft. P a m p h i l. Wol dem
                                            der stets geflissen
Auff ein nicht flüchtig Gut / vnd vnverletzt Gewissen!
L y s a n d. Wol dem / der seiner Zeit / nimmt (Weil noch
                                            Zeit) in acht!
V i r e n. Wol diesem / der die Welt mit jhrer Pracht ver-
                                            lacht.
P a m p h i l. Wol dem / dem GOttes Hand wil selbst das   425
                                            Hertze rühren!
O l y m p. Wol dem / der sich die Hand deß Höchsten lässet
                                            führen!
C e l i n d. Wol dem / der jeden Tag zu seiner Grufft bereit!
P a m p h i l. Wol dem / den ewig krönt die ewig' Ewigkeit.
C a r d e n. Wer hier recht leben wil vnd jene Kron ererben /
Die vns das Leben gibt; d e n c k j e d e S t u n d a n s   430
                    S t e r b e n.

E N D E.

420   weil = während.

ZUR TEXTGESTALT

Der Text der vorliegenden Ausgabe beruht auf dem Erst-
druck des Dramas in der ersten Ausgabe der gesammelten
Werke aus dem Jahre 1657 (A):

ANDREAE GRYPHII | Deutscher | Gedichte / | Erster
Theil. | Breßlaw / | In Verlegung Johann Lischkens / |
Buchhåndlers. 1657.
(Exemplar der Württembergischen Landesbibliothek Stutt-
gart, Sign.: R 17 Gry 1)

Dem Trauerspiel *Cardenio und Celinde* gehen in dieser
Ausgabe voran: *Leo Armenius, Catharina von Georgien,
Carolus Stuardus* und *Felicitas.* Es folgen: *Majuma, Kirch-
hoffs-Gedancken, Oden* (I-III), *Oden* (IV), *Sonette* (I-IV).
Jedes Werk hat seine eigene Paginierung; Format 8°.
Gliederung von *Cardenio und Celinde:*

[A]ʳ   Titelblatt (Faksimile, s. S. 3)
[A]ᵛ   leer
Aijʳ-[Avj]ᵛ   Vorrede an den Leser.
[Avij]ʳ   Inhalt deß Trauer-Spiels.
[Avij]ᵛ   Personen deß Trauer-Spiels.
1-63   Text des Trauerspiels.

Ohne textkritisches Interesse ist die Titelauflage von 1658.
1663 erschien eine weitere Ausgabe (B) mit textlichen Abweichungen gegenüber (A).

Die Wiedergabe des Textes erfolgt unter Wahrung von
Lautstand und Orthographie des Originals. Bei der Text-
revision wurde das Druckfehlerverzeichnis von (A) berück-
sichtigt. Wo das Druckfehlerverzeichnis orthographisch gegenüber dem Text abweicht, ist die Schreibung des Textes
angegeben. Die aus dem Druckfehlerverzeichnis übernom-

menen Änderungen sind in der folgenden Liste durch den Zusatz (Dr.) gekennzeichnet. Die Liste enthält ferner alle vom Herausgeber am Text vorgenommenen Änderungen, die vor allem bei der zum Teil sinnverwirrenden Interpunktion nötig waren. Auf eine Normalisierung wurde dabei verzichtet.

6,19 Liebe. > Liebe: – 7,3 (Dr.) Avatius > Allatius – 7,17 (Dr.) letzten > letzte – 8,6 versetzrn > versetzen – 8,8 iij > jv – 13 Vorus > Dorus

Erste Abhandelung

1 wenden > wenden? – 25 (Dr.) der > den – 30 (Dr.) Denn > Dem – 32 auffgesetzt > auffgesetzt. – 41 außgegründter > auß gegründter (vgl. I,229) – 80 (Dr.) Wildes-Art > Wilder-Art – 89 (Dr.) den > der – 109 (Dr.) herben > herber – 125 (Dr.) ein andre > einander – 133 Angesichte. > Angesichte / – 134 überfiel > überfiel; – 134 lichte. > lichte / – 135 er > er / – 206 Jungsraw > Jungfraw – 208 gebracht > gebracht. – 230 Sprünge. > Sprünge / – 233 getrübet. > getrübet: – 243 Noth > Noth. – 259 auß. > auß: – 267 vergehn. > vergehn / – 291 seyn. Daß > seyn / daß – 324 (Dr.) so > O – 354 zur Ehe vnd keuschen Eh' > zur Eh' vnd keuschen Ehr (Dr.: Keuschen Eh > Keuschen ehr) – 377 forgesetzet > fortgesetzet – 396 bat > bot – 421 Vermögen. > Vermögen – 439 erwischt. > erwischt / – 511 (Dr.) stöst > stehst (zweimal) – 549 Erschüttelte > Er schüttelte – 560 Pracht > Pracht. – 570 (Dr.) Nur > Vnd – 572 Volcker > Völcker

Andere Abhandelung

8 (Dr.) Wie > Nie – 54 gefechte. > gefechte – 76 schmacht. > schmacht / – 89 erhoren > erhören – 93 fich > sich – 119 Gesicht > Gesicht. – 126 Celind' > Celind! – 128 du / Tröster > du Tröster / – 129 Zehren > Zehren. – 136 betrübt. > betrübt / – 138 haben. > haben / – 143 beygebracht. > beygebracht / – 152 Meer. > Meer – 170 übergi-

bet > übergibet. – 177 (Dr.) Lust > Lufft – 180 Lauff. >
Lauff / – 198 geschunden. > geschunden / – 199 (Dr.) Feld
>Fell – 208 fraß. > fraß: – 220 zu. > zu / – 222 (Dr.) kåm
> Kårn – 236 Ruh. > Ruh / – 268 beklagt > beklagt. –
272 verfållt > verfållt.

Dritte Abhandelung

54 vernommen. > vernommen / – 69 glaub' vnendlich >
glaub'. Vnendlich – 72 (Dr.) jhr > jhn – 82 Verbůnduůß >
Verbůndnůß – 86 (Dr.) Philandern > Lysandern – 99 Ziel
> Ziel – 103 fůhrt > fůhrt. – 107 C a r d e n. > V i r e n.
– 136 beflecket > beflecket. – 140 getrennet > getrennet. –
155 Harr > Haar – 176 vud > vnd – 180 (Dr.) Viel >
Viere – 183 (Dr.) veracht > verlacht – 189 (Dr.) roth >
noth – 189 Pracht > Pracht? – 190 Angefichte > Angesichte
– 196 fuhlt > fůhlt – 213 (Dr.) entlôst > entblôst – 234
(Dr.) gehåuffter > gehåufften – 259 seyn. > seyn /

Vierdte Abhandelung

49 (Dr.) heller > tiffer – 104 nachspricht. > nachspricht / –
107 der > dem – 130 Thůren: > Thůren – 139 sey > sey. –
179 feil. > feil – 184 zu > zu / – 237 O l y m p. > C e –
l i n d. – 241 O l y m p. > C e l i n d. – 338 getragen. >
getragen – 340 Gut > Gut. – 368 mir > mir. – 388 reisset.
> reisset: – 425 (Dr.) beschwert > verkehrt

Fůnffte Abhandelung

27 (Dr.) spricht > sprech – 32 Anff > Auff – 46 (Dr.)
vngegrůmbten > vngegrůndten – Nach Vers 60: *Lysander.*
Cardenio. > *Lysander.* – 61 Mein > C a r d e n. Mein –
76 Hôllen-heisse-Glut > Hôllen heisse Glut – 82 durchrennen. > durchrennen – 111 (Dr.) daß er > daß es –
127 Celinde > Celinden – 204 Růckeu > Růcken – 281
enschuldigt > entschuldigt – 288 Ziel. > Ziel – 292 (Dr.)
jhrer Treuen werth > Ihre Treu zu werth – 312 dôch >
doch – 317 Sachen! > Sachen!) – 346 entglimme. > ent-

glimme / – 363 entzwey / > entzwey – 364 Wehmut >
Wehmut / – 387 (Dr.) erkennt > verkennt – 423 (nimmt
Weil > nimmt (Weil

Der Neudruck unterscheidet – im Gegensatz zum Original – zwischen I und J. Folgende Abbreviaturen wurden
aufgelöst: m̄ > mm, n̄ > nn, ē > en. Das häufig verwen-
dete ɀ ist immer durch r wiedergegeben, ꝛc durch etc. Die
Ligaturen Æ, æ, œ des Originals wurden durch Ae, ae, oe
wiedergegeben. Unterschiede in der Schrifttype des Original-
textes, z. B. Initialauszeichnung, Auszeichnung von Zitaten
in der Vorrede und Wiedergabe von Eigennamen und latei-
nischen Wörtern bzw. Wortteilen durch Antiqua statt Frak-
tur (z. B. 5,23 Cardenio, 6,20 Olympien, 8,20 Tetraphylum)
konnten nicht beibehalten werden. Bogensignaturen bzw.
Seitenzählung des Originals werden in [ ] angegeben. Der
Text wurde mit einer Zeilen- bzw. aktweisen Verszählung
versehen. Der Kolumnentitel des Originals (links: Cardenio
und Celinde rechts: Traur-Spiel) ist durch Aktangaben ersetzt. Trotz des Antiquasatzes wurde in der Interpunktion
die Virgel (/) beibehalten. Ein Komma erscheint nur dort,
wo auch der Originaltext ein Komma setzt (nach Wörtern in
Antiqua). In den Anmerkungen werden gelegentlich Lesarten
von (B) verzeichnet.

LITERATURVERZEICHNIS

Neudrucke

Andreae Gryphii Cardenio und Celinde Oder Unglücklich Verliebte. Trauer-Spiel. In: Andreas Gryphius, Trauerspiele. Herausgegeben von Hermann Palm. Tübingen 1882 (= Bibliothek des Literarischen Vereins in Stuttgart 162). Photomechanischer Nachdruck Darmstadt 1961.

Cardenio und Celinde oder Unglücklich Verliebete. Trauerspiel. In: Gryphius' Werke. Herausgegeben von Hermann Palm. Berlin und Stuttgart o. J. (= Deutsche National-Litteratur 29).

Andreae Gryphii Cardenio und Celinde oder Unglücklich Verlibete. Trauer-Spiel. In: Das schlesische Kunstdrama. Herausgegeben von Willi Flemming. Leipzig 1930 (= Deutsche Literatur ... in Entwicklungsreihen. Reihe Barock. Barockdrama Bd. 1).

Andreas Gryphius. *Zwei Trauerspiele.* (Cardenio und Celinde. Leo Armenius.) Herausgegeben von Erik Lunding. Kopenhagen 1938 (= Deutsche Texte 1).

Andreas Gryphius, *Cardenio und Celinde.* Edited with Introduction and Commentary by Hugh Powell. Leicester 1961.

Andreas Gryphius, *Trauerspiele II.* (Leo Armenius. Cardenio und Celinde.) Herausgegeben von Hugh Powell. Tübingen 1965 (= Gesamtausgabe der deutschsprachigen Werke. Herausgegeben von Marian Szyrocki und Hugh Powell. Neudrucke deutscher Literaturwerke N. F. 14).

Literatur (Auswahl)

Benjamin, Walter: *Ursprung des deutschen Trauerspiels.* Berlin 1928. Revidierte Ausgabe besorgt von Rolf Tiedemann. Frankfurt 1963.

Böckmann, Paul: *Offenbarungshaltung und Elegantiaideal in der Dichtung des Gryphius*. In: P. Böckmann, Formgeschichte der deutschen Dichtung, Bd. 1. Hamburg 1949, S. 416-448; besonders S. 430-444.

Feise, Ernst: *»Cardenio und Celinde« und »Papinianus« von Gryphius*. In: The Journal of English and Germanic Philology 44 (1945), S. 181-193.

Flemming, Willi: *Andreas Gryphius und die Bühne*. Halle 1921 (vorher: Marburg, Phil. Diss. 1914).

Flemming, Willi: *Die Form der Reyen in Gryphs Trauerspielen*. In: Euphorion 25 (1924), S. 662-665.

Flemming, Willi: *Andreas Gryphius*. Eine Monographie. Stuttgart 1965 (= Sprache und Literatur 26).

Fricke, Gerhard: *Die Bildlichkeit in der Dichtung des Andreas Gryphius*. Materialien und Studien zum Formproblem des deutschen Literaturbarock. Berlin 1933.

Geisenhof, Erika: *Die Darstellung der Leidenschaften in den Trauerspielen des Andreas Gryphius*. Heidelberg, Phil. Diss. 1958. [Masch.]

Gilbert, Mary E.: *»Cardenio und Celinde«*. In: Modern Language Review 45 (1950), S. 483-496.

Heckmann, Herbert: *Elemente des barocken Trauerspiels*. Am Beispiel des »Papinian« von Andreas Gryphius. München 1959 (= Literatur als Kunst).

Jöns, Dietrich Walter: *Das »Sinnenbild«*. Studien zur allegorischen Bildlichkeit bei Andreas Gryphius. Stuttgart 1966 (= Germanistische Abhandlungen 13).

Lunding, Erik: *Das schlesische Kunstdrama*. Eine Darstellung und Deutung. Kopenhagen 1940.

Neubauer, Karl: *Zur Quellenfrage von Andreas Gryphius' Cardenio und Celinde*. In: Studien zur vergleichenden Literaturgeschichte 2 (1902), S. 433-451.

Powell, Hugh: *Probleme der Gryphius-Forschung*. In: Germanisch-romanische Monatsschrift 7 (1957), S. 328-343.

Powell, Hugh: *Gryphius, Princess Elisabeth and Descartes*. In: Germanica Wratislaviensia 4 (1960), S. 63-76.

Schöne, Albrecht: *Figurale Gestaltung. Andreas Gryphius.* In: A. Schöne, Säkularisation als sprachbildende Kraft. Göttingen 1958 (= Palaestra 226).

Schöne, Albrecht: *Emblematik und Drama im Zeitalter des Barock.* München 1964.

Ricci, Jean F.-A.: *Cardenio et Célinde.* Etude de littérature comparée. Paris 1947.

Rühle, Günther: *Die Träume und Geistererscheinungen in den Trauerspielen des Andreas Gryphius und ihre Bedeutung für das Problem der Freiheit.* Frankfurt, Phil. Diss. 1952. [Masch.]

Steinberg, Hans: *Die Reyen in den Trauerspielen des Andreas Gryphius.* Göttingen, Phil. Diss. 1914.

Stieff, Christian: *Andreae Gryphii Lebenslauf.* In: Schlesisches Historisches Labyrinth . . . Breslau und Leipzig 1737, S. 805-824.

Stosch, Baltzer Siegmund von: *Last- und Ehren- und daher immerbleibende Danck- und Denck-Seule . . . A. Gryphii.* Leipzig 1665.

Szyrocki, Marian: *Der junge Gryphius.* Berlin 1959 (= Neue Beiträge zur Literaturwissenschaft 9).

Szyrocki, Marian: *Andreas Gryphius.* Sein Leben und Werk. Tübingen 1964.

Tarot, Rolf: *Literatur zum deutschen Drama und Theater des 16. und 17. Jahrhunderts.* Ein Forschungsbericht (1945 bis 1962). In: Euphorion 57 (1963), S. 411-453; besonders S. 439-448.

Wintterlin, Dietrich: *Pathetisch-monologischer Stil im barocken Trauerspiel des Andreas Gryphius.* Tübingen, Phil. Diss. 1958. [Masch.]

Wehrli, Max: *Andreas Gryphius und die Dichtung der Jesuiten.* In: Stimmen der Zeit 175 (1964), S. 25-39.

Windfuhr, Manfred: *Die barocke Bildlichkeit und ihre Kritiker.* Stuttgart 1966 (= Germanistische Abhandlungen 15).

Wolters, Peter: *Die szenische Form der Trauerspiele des Andreas Gryphius.* Frankfurt, Phil. Diss. 1958.

NACHTRAG

Eggers, Werner: *Wirklichkeit und Wahrheit im Trauerspiel von Andreas Gryphius.* Heidelberg 1967 (= Probleme der Dichtung Bd. 9).

Großklaus, Götz: *Zeitentwurf und Zeitgestaltung in den Trauerspielen des Andreas Gryphius.* Freiburg i. Br., Phil. Diss. 1966.

Mannack, Eberhard: *Andreas Gryphius.* Stuttgart 1968 (= Sammlung Metzler 76).

Müller, Othmar: *Drama und Bühne in den Trauerspielen von Andreas Gryphius und Daniel Casper von Lohenstein.* Zürich, Phil. Diss. 1967.

Paulin, Roger: *Gryphius' »Cardenio und Celinde« und Arnims »Halle und Jerusalem«.* Eine vergleichende Untersuchung. Tübingen 1968.

Rusterholz, Peter: *Theatrum vitae humanae. Funktion und Bedeutungswandel eines poetischen Bildes.* Studien zu den Dichtungen von Andreas Gryphius, Christian Hofmann von Hofmannswaldau und Daniel Casper von Lohenstein. Berlin 1970 (= Philologische Studien u. Quellen H. 51).

Schütt, Peter: *Die Dramen des Andreas Gryphius.* Sprache und Stil. Hamburg 1971 (= Geistes- u. sozialwissenschaftliche Dissertationen 11).

Turk, Horst: *Cardenio und Celinde, Oder Unglücklich Verliebete.* In: Die Dramen des Andreas Gryphius. Eine Sammlung von Einzelinterpretationen. Hrsg. von Gerhard Kaiser. Stuttgart 1968, S. 73–116.

Vennemann, Theo u. Hans Wagener: *Die Anredeformen in den Dramen des Andreas Gryphius.* München 1970.

Voßkamp, Wilhelm: *Untersuchungen zur Zeit- und Geschichtsauffassung im 17. Jahrhundert bei Gryphius und Lohenstein.* Bonn 1967 (= Literatur u. Wirklichkeit Bd. 1).

NACHWORT

Zur Entstehungsgeschichte von *Cardenio und Celinde* hat
Gryphius in der »Vorrede an den Leser« einige Angaben gemacht. Er hat die Geschichte, als er »von Straßburg zurück
in Niederland gelanget / vnd zu Ambsterdam bequemer
Winde nacher Deutschland erwartet« einigen Freunden erzählt, die ihn nach einem »Panquet«, das sie ihm »zu Ehren
angestellet« nachts in sein »damaliges Wirthshaus« zurück-
begleiteten. Der Zeitpunkt läßt sich genauer bestimmen. Die
Angaben beziehen sich auf das Ende seiner neunjährigen
Abwesenheit von Schlesien. Er hatte Schlesien im Sommer
1638 verlassen, um mit den beiden Söhnen Georg Schön-
borners (1579-1637), deren Erzieher er seit August 1636
war, in Leiden zu studieren. Zusammen mit seinen Zöglin-
gen Georg Friedrich und Johann Christoph erreichte er nach
mehrwöchiger Seereise von Danzig aus am 18. Juli Amsterdam und am 22. Juli Leiden, wo sie sich gemeinsam am
28. Juli immatrikulieren ließen. Nach einem ausgedehnten
Studium in den verschiedensten Disziplinen – Medizin,
Rechtswissenschaft, Philosophie – und eigener Lehrtätigkeit,
wozu ihn sein Magistertitel berechtigte, begleitete er Anfang
Juni 1644 den Stettiner Kaufmannssohn Wilhelm Schlegel
nach Frankreich und Italien. Im Frühjahr 1646 kehrte die
Reisegesellschaft nach Straßburg zurück, wo sie sich auf-
löste. Gryphius hielt sich längere Zeit in Straßburg auf und
vollendete dort im Oktober 1646 sein erstes Trauerspiel, den
Leo Armenius. Ende Mai 1647 reiste er über Speyer, Mainz,
Frankfurt und Köln nach Amsterdam, von dort, wieder auf
dem Seewege, nach Stettin, wo er sich im Hause Schlegels
eine Zeitlang aufhielt, und schließlich, Anfang November,
nach Fraustadt, wo sein Stiefvater lebte.

Im Sommer 1647 also hat Gryphius diese Geschichte zuerst erzählt, die man ihm – nach eigener Aussage – »in Italien vor eine wahrhaffte Geschicht mitgetheilet«. Die literarhistorische Quellenforschung konnte schon bald nach Erscheinen von Palms erster vollständiger Ausgabe auf die Quelle hinweisen. Die Erzählung entstammt der Novellensammlung *Sucessos y prodigios de amor* (Madrid 1624) des spanischen Dichters Juan Perez de Montalvan. Im Original trägt sie den Titel *La fuerça del desengaño*. Es besteht kein Grund, daran zu zweifeln, daß Gryphius sie zuerst in Italien gelesen hat. Eine italienische Übersetzung war bereits 1628 erschienen. Die französische Übersetzung (Paris 1644) hatte Gryphius während seines Frankreichaufenthalts anscheinend nicht zu Gesicht bekommen. Wann der Dichter den Wunsch seiner Freunde erfüllte, »jhnen den gantzen Verlauff schrifftlich mitzutheilen«, bzw. wann er seine Absicht geändert und »stat einer begehrten Geschicht-Beschreibung gegenwärtiges Trauer-Spiel auffgesetzet« hat, läßt sich nur vermuten. Wenn die Anordnung in der letzten von Gryphius selber besorgten Ausgabe seiner Werke (1663) nach chronologischen Gesichtspunkten erfolgte, was wahrscheinlich ist, dann ist *Cardenio und Celinde* nach *Catharina von Georgien* (1647) entstanden. Heute nimmt man eine Entstehungszeit um 1648/50 an. Auch hier läge dann – wie bei anderen Trauerspielen des Dichters – ein Zeitraum von mehreren Jahren zwischen Entstehung und Erscheinen (1657). Die »Vorrede an den Leser« kann nicht vor 1654 entstanden sein, da erst in diesem Jahr die Tycho-Brahe-Biographie des Pierre Gassendi erschienen ist, auf die Gryphius sich in der Vorrede bezieht.

Innerhalb von Gryphius' Trauerspielen nimmt *Cardenio und Celinde* eine Sonderstellung ein. Gryphius war sich bewußt, daß er bindende Vorschriften der zeitgenössischen Poetiken nicht erfüllt hatte, was ihn zu einer ausdrücklichen Rechtfertigung veranlaßte. Zunächst verstößt dieses Trauerspiel gegen die sogenannte Ständeklausel, die bei Martin Opitz in genauer Anlehnung an Scaliger lautet: »Die Tra-

gedie ist an der maiestet dem Heroischen getichte gemeße /
ohne das sie selten leidet / das man geringen standes personen vnd schlechte sachen einführe: weil sie nur von König-
lichem willen / Todtschlägen / verzweiffelungen / Kinder-
vnd Vätermörden / brande / blutschanden / kriege vnd
auffruhr / klagen / heulen / seuffzen vnd dergleichen handelt.«[1] Gryphius spricht im Sinne der Poetiken ausdrücklich
von »Mangel«, der nach seiner Ansicht allerdings leicht zu
beheben gewesen wäre, »wenn ich der Historien die ich sonderlich zu behalten gesonnen / etwas zu nahe treten wollen«.
Die Rechtfertigung mit dem Hinweis auf die historische
Faktizität – die Geschichte wird ausdrücklich »eine wahrhaffte Geschicht« genannt – mußte den zeitgenössischen Kritikern in der Tat viel Wind aus den Segeln nehmen. Noch
1741 – als Lessing gerade seine Schulzeit in der Fürsten-
schule in Meißen begann – weiß Johann Elias Schlegel, ob-
wohl sich seine Ansichten über das Trauerspiel bereits wesentlich von denen des Martin Opitz unterscheiden, um das
notwendige Verhältnis von Historie und Trauerspiel und
um die Grenzen der licentia poetica: »Es ist keine Kunst,
seiner Einbildung den Zügel schießen zu lassen, und sein
Hirngespinst alsdann unter dem ersten Namen zu verkau-
fen, der einem in das Maul kömmt. Und es ist eine lobens-
würdige Mühsamkeit, die innersten Winkel der Geschichte
zu durchstören, und den alten Helden wieder lebendig zu
machen.«[2] Gewisse Lizenzen kennt auch das 17. Jahrhundert.
Opitz erwähnt sie bei seinen Ausführungen »das getichte
vnd die erzehlung . . . belangend«[3]. Auch Gryphius hat sich
durchaus gewisse Freiheiten der Quelle gegenüber erlaubt, so

1. Martin Opitz, *Buch von der Deutschen Poeterey* (1624). Nach der
Edition von Wilhelm Braune neu herausgegeben von Richard Alewyn.
Tübingen 1963 (= Neudrucke deutscher Literaturwerke N. F. 8), S. 20.
    2. Johann Elias Schlegel, *Vergleichung Shakespears und Andreas
Gryphs.* Leipzig 1741 (= Beyträge zur Critischen Historie . . . Bd. 7,
28. Stück). Faksimiledruck, herausgegeben von Hugh Powell. Leicester
1964, S. 557/558.
    3. Martin Opitz, *Buch von der Deutschen Poeterey*, S. 20.

hat er den Schauplatz von Alcalà nach Bologna verlegt, die
Namen der beiden Hauptgestalten geändert und einige Ne-
benfiguren hinzugedichtet. Johann Elias Schlegel betont
ausdrücklich: »Man kann den Charakter einer Person, die
in der Historie bekannt ist, zwar in etwas ändern, und entweder höher treiben, oder etwas weniger von seinen Tu-
genden und Lastern in ihm abbilden, als die Geschichte ihm
zuschreibet. Aber wenn man weiter gehen wollte, so würde
man mit seiner Menschenmacherey mehr zum Romanschrei-
ber, als zum Dichter werden, und es würde lächerlich seyn,
wenn man, so oft einem ein Fehler, den man wider den
Charakter gemacht hat, vorgeworfen wird, sich damit ent-
schuldigen wollte, daß man seine Menschen selber machte.«[4]
Schlegel rechnet es Gryphius zum V e r d i e n s t und zum
Vorzug an, daß er »der Wahrheit auf dem Fuße nachge-
folgt«[5] ist, im Gegensatz zu späteren Kritikern, die – wie
Hermann Palm – dem Dichter den Vorwurf machten, er
habe aus Rücksicht auf die historische Treue zuwenig Gebrauch von der licentia poetica gemacht und nicht gewagt,
kraft seiner dichterischen Freiheit einer doch immerhin zwei-
felhaften Begebenheit etwas hinzuzuerfinden. Diese Kritik
offenbart die Unangemessenheit ihrer kritischen Maßstäbe.
Erst allmählich hat die Forschung wieder Zugang zum Wesen
barocker Dramatik gefunden. Ein fundamentaler Wesenszug
ist der Wirklichkeitserweis des dramatischen Geschehens.
Albrecht Schöne kommt in seiner Untersuchung der Emblematik im Drama des Barock zu der Feststellung: »Und erst
die historische Faktizität des Bühnengeschehens, um deren
Nachweis die Anmerkungsapparate der Dramatiker mit ihren
Quellenverzeichnissen bemüht sind, begründet den Zeugnis-
wert des Spiels, beglaubigt die significatio der dramatischen
res pictae.«[6]

4. Johann Elias Schlegel, *Vergleichung Shakespears*, S. 556.
5. Johann Elias Schlegel, *Vergleichung Shakespears*, S. 558.
6. Albrecht Schöne, *Emblematik und Drama im Zeitalter des Barock*.
München 1964, S. 223.

Rechtfertigen mußte Gryphius auch sein Abweichen von den in den zeitgenössischen Poetiken für die einzelnen dramatischen Gattungen festgelegten genera dicendi. Wie die Personen »fast zu niedrig vor ein Traur-Spiel« sind, so ist auch »die Art zu reden ... gleichfalls nicht viel über die gemeine«. Wo »etliche hitzige vnd stechende Wort mit vnter lauffen« ist das dem Zustand der Personen »zu gut zu halten«, die »entweder nicht klug / oder doch verliebet« sind.

Zu Unrecht hat die wissenschaftliche Kritik lange gerügt, wie mangelhaft doch des Dichters Erkenntnis von der Aufgabe eines rechten Dramas sei. Man hat die Anlage der Handlung getadelt, denn nach jener – unangemessenen – Auffassung hat auch dieses Drama gegenüber den früheren an lebhafter Handlung nicht viel gewonnen, und gerügt, daß sein Inhalt vorzugsweise rhetorisch und lyrisch sei. Von einer »eigentlichen Handlung« könne man erst mit Beginn des vierten Akts sprechen. Angemessene Maßstäbe der Beurteilung haben für *Cardenio und Celinde* auf das Kompositionsprinzip der Fuge hingewiesen. Cardenio (1. Akt) wird von Hugh Powell mit der ersten Stimme verglichen, deren Thema – die rasend tolle Liebe – durch die zweite Stimme Celindes (2. Akt) variiert wird, während Olympia (3. Akt), die dritte Stimme, deren Thema ebenfalls die Liebe, aber die »keusche / sitsame« Liebe, dieses Thema gemäßigter behandelt. Der vierte Akt gibt eine Reihe von Einsätzen in verschiedenen Tonarten und Verbindungen mit Beispielen für Engführung und wiederholte Unterbrechungen einer Stimme durch andere (Szene 2-6). Im letzten Teil (5. Akt) sind alle Stimmen zu einem Akkord vereinigt.[7]

Auch die Gattungsbezeichnung war Gegenstand der Kritik. Der Stoff ist nicht aus den hohen Kreisen entnommen, die Art zu reden ist »nicht viel über die gemeine«, und außerdem steht der versöhnliche Ausgang der traditionellen Vorstellung vom Wesen und Zweck des Trauerspiels ent-

7. Vgl. Hugh Powell, Vorwort der Ausgabe von *Cardenio und Celinde*. Leicester 1961, S. LIX.

gegen. Nach Auffassung der Zeit aber ist »eine Tragödie ...
nichts anders als ein Spiegel derer / die in allem jhrem thun
vnd lassen auff das blosse Glück fussen. Welches wir Menschen ins gemeine zum Gebrauche haben; wenig außgenom-
men / die eine vnd andere vnverhoffte Zufälle voran se-
hen / vnd sich also wider dieselbigen verwahren / dz sie
jnen weiter nit schaden mögen als an eusserlichen Wesen /
vnd an denen Sachen / die den Menschen eygentlich nicht an-
gehen. Solche Beständigkeit aber wird vns durch Beschaw-
ung der Mißligkeit deß Menschlichen Lebens in den Tra-
gödien zu förderst eingepflantzet: ... wir lernen aber dar-
neben auch durch stetige Besichtigung so vielen Creutzes vnd
Vbels das andern begegnet ist / das vnserige / welches vns begegnen möchte / weniger fürchten vnnd besser erdulden.«[8] Für
Gryphius ist wie für Opitz »Witzung und Belehrung ...
Zweck der Tragödie«, wenn auch das stoizistische Element
und die Abstumpfungstheorie stärker zurücktreten[9]. Das gilt
auch für das Trauerspiel *Cardenio und Celinde*, das sich
zwar nicht in den Rahmen der Märtyrerstücke einfügen
läßt, aber dennoch nicht mit Blick auf die Entwicklung des
Dramas seit Lessing ein »bürgerliches Schauspiel« genannt
werden sollte. Das entscheidende Anliegen von *Cardenio
und Celinde* hat Gryphius in der Vorrede selber ausgesprochen: »Mein Vorsatz ist zweyerley Liebe: Eine keusche /
sitsame vnd doch inbrünstige in Olympien: Eine rasende /
tolle vnd verzweifflende in Celinden, abzubilden.« Die
rasende und tolle Liebe steht dabei für ihn im Bannkreis der
schwarzen Magie und Tyches, wodurch namentlich auf den
Bereich des Zufalls, der Fortuna hingewiesen wird. Die
rasende und tolle Liebe ist bei Gryphius ein »Vorbild

8. Martin Opitz, *Weltliche Poemata 1644*. Erster Teil. Unter Mit-
wirkung von Christine Eisner herausgegeben von Erich Trunz. Tübingen
1967 (= Deutsche Neudrucke, Reihe: Barock 2), S. 314/315 (Vorrede zur
Übersetzung von Senecas *Trojanerinnen*).
9. Richard Alewyn, *Vorbarocker Klassizismus und griechische Tragödie*. In: Neue Heidelberger Jahrbücher N. F. 1926, S. 3-63; zit. nach der
Neuauflage Darmstadt o. J. (= Libelli 79), S. 8.

höllscher Glut« (V,350). Als eine Eitelkeit und Verirrung der Jugend steht die Leidenschaft im Gegensatz zu Tugend, Vernunft und Verstand. Sie führt den Menschen ab von Gott, weil der Mensch nicht mehr auf sein Gewissen horcht:

> so hieß doch mein Gewissen
> Vor diesen Sonnen mich die blöden Augen schlissen /
> (V,369/370).

Zugleich führt sie ihn von sich selber weg. Dieser »Selbstverlust« ist von Gryphius verstanden als eine Krankheit, als Blindheit (»blöde Augen« V,370), die der Befallene selber verschuldet:

> C a r d e n. Celind' ich bin durch mich / vnd nicht durch sie verführet!
> (V,365)
> Ich ließ sie selber ein! der Mensch fällt nur durch sich.
> (V,375)

Man hat für diesen Problembereich auf einen möglichen Einfluß von Descartes' *Traité des passions* aufmerksam gemacht[10]. Ergänzend müßte man auch auf die Einflüsse hinweisen, die Gryphius durch die theologische Lehrmeinung der Societas Jesu über Willensfreiheit und Schuld zugekommen sind.

Durch die Leidenschaften blind gemacht, gerät der Mensch »außer sich«, fällt von Sünde zu Sünde, solange er nicht wieder »zur Vernunft« kommt. Für Cardenio und Celinde bewirkt die Begegnung mit den Gespenstern, von deren Existenz Gryphius überzeugt war, den Heilungsprozeß. Die nächtliche Erscheinung des Gespenstes in Gestalt Olympiens zwingt Cardenio zur Selbstbesinnung:

---

10. Herbert Schöffler, *Deutsches Geistesleben zwischen Reformation und Aufklärung.* Frankfurt 1940; 2. Aufl., Frankfurt 1956, S. 136/137. – Ergänzende Ausführungen bei H. Powell, Vorwort der Ausgabe von *Cardenio und Celinde.* Leicester 1961, S. XLIII-XLIV.

> Diß zwingt mich; kommt mir ein wie rasend es sich wittert /
> Wie es den Bogen spannt / wie es den Pfeil erschittert /
> Zu dencken wer ich sey! auff welcher Bahn ich steh /
> Wie alle Pracht der Welt in Eitelkeit vergeh!

(V,221-224)

Cardenio empfindet seine Befreiung aus der Blindheit der Leidenschaft als Genesung. Er ist jetzt wieder Cardenio, nicht mehr der, den Olympie und die andern kannten, er ist wieder jener, der er war, als er nach Bologna kam:

> Ich bin Cardenio! nicht der ich bin gewesen
> Mehr toll als tolle sind! nein! nein! ich bin genesen!
> Von Hoffen / Wahn vnd Pein / vnd was man Liebe nennt
> Der Höllen heisse Glut die in dem Hertzen brennt /
> Vnd vns ans Rasen bringt.

(V,73-77)

Die Genesung aus der rasenden und tollen Liebe kann für Cardenio und Celinde nicht in eine eheliche Verbindung einmünden:

> Ach nein! der Wahn ist falsch! Celinden Lieb' ist tod.
> Celinde liebt mit mir nichts als den höchsten Gott.

(V,127/128)

Diese Antwort Cardenios an Lysander läßt deutlich die religiöse Grundhaltung dieses Werks erkennen. In der Erfahrung des Todes, der alles weltliche Handeln als Eitelkeit – vanitas – entlarvt, kommen Cardenio und Celinde zur Einsicht in das Verhängnisvolle ihrer Leidenschaften. Sie erkennen im »memento mori« das sinnbestimmende Motto des menschlichen Lebens und entsagen ihrer rasenden und frevelhaften Liebe. Was der blinden Leidenschaft und der rasenden und tollen Liebe verwehrt ist, geht für die keusche, sittsame und doch inbrünstige Liebe Olympiens in Erfüllung. Nur eine solche Liebe, eingehegt durch »Vernunft / Tugend vnd Verstand« und in Einklang mit dem Gewissen – Lysander und Olympie sind »Leute von Gewissen« (V,105) –, stiftet eine dauerhafte Verbindung.

Trotz mancherlei Abweichungen von poetischen Normen der Zeit gehört auch dieses Trauerspiel seinem Wesen und seiner Absicht nach unzweifelhaft in den Bereich einer Dramatik, die nicht mit der in Deutschland seit Lessings theoretischen und dichterischen Arbeiten sich Bahn brechenden Auffassung vom Wesen der Tragödie identifiziert werden darf. Die ausgesprochen lehrhafte Absicht, die Behandlung von Fabel und Personen beweisen Schritt für Schritt eine nicht-aristotelische Verfahrensweise. Wo aristotelische Gedanken anklingen, z. B. am Ende der Inhaltsangabe: »Das Trauer-Spiel beginnet wenig Stunden vor Abends / wehret durch die Nacht / vnd endet sich mit dem Anfang deß folgenden Tages. Der Schaw-Platz ist Bononien die Mutter der Wissenschafften vnd freyen Künste«, handelt es sich, wie in den Poetiken der Zeit, um ganz äußerliche und formelhafte Übernahmen, welche die dramatische Struktur des barocken Trauerspiels in ihrem Wesen nicht verändern. Wegen seiner völlig andersgearteten dramatischen Struktur, die mit den aristotelischen Begriffen Phobos und Eleos – Lessing sagt Furcht und Mitleid – oder Katharsis nicht zu bestimmen ist, konnte dieses Trauerspiel nicht, im Sinne Lessings und des achtzehnten Jahrhunderts, zum Ahnherrn des bürgerlichen Trauerspiels in Deutschland werden. Ein bürgerliches Trauerspiel dieser Art lag bei Gryphius noch außerhalb des dramatischen Horizonts.

Die Wirkungsgeschichte von *Cardenio und Celinde* scheint nach allem, was wir bis heute wissen, schwächer gewesen zu sein als bei anderen Trauerspielen Gryphius', obgleich es in Breslau zwischen dem 28. Februar und 3. März 1661 abwechselnd mit Lohensteins *Cleopatra* gespielt wurde. Das Nebeneinander gerade dieser beiden Dramen scheint symptomatisch, denn Lohensteins Dramatik läßt sich zwar nicht als organische Fortsetzung von Gryphius' Märtyrerdramen verstehen, wohl aber besteht ein deutlich sichtbarer Bezug zwischen Lohensteins späteren Dramen und *Cardenio und Celinde*. Lohenstein hat die Thematik von Vernunft und

Leidenschaft in breiter und durchaus eigenständiger Weise
entfaltet. Auch bei ihm geschieht das mit exemplarisch-
didaktischer Zielsetzung, aber mit einer nicht zu übersehenden
Akzentverschiebung. Die religiöse Komponente, die auch
Cardenio und Celinde wesentlich mitprägt, ist bei ihm fast
völlig verschwunden. Ein häufig übersehener Rationalismus
kennzeichnet sein dramatisches Werk[11].

Erst die Romantiker haben *Cardenio und Celinde* ins Be-
wußtsein des literarischen Interesses zurückgeholt. Tieck hat
dieses Trauerspiel in sein *Deutsches Theater* (1817) aufge-
nommen. Spuren finden sich in Arnims *Halle und Jerusalem* (1811), bei Immermann und schließlich wieder bei Wilhelm Lehmann.

---

11. Vgl. Rolf Tarot, *Zu Lohensteins »Sophonisbe«*. In: Euphorion 59
(1965), S. 72-96.